DU CUBISME AU SURRÉALISME

ÉLISABETH LIÈVRE-CROSSON

LES ESSENTIELS MILAN

Sommaire

Les mots suivis d'un astérisque (*) sont expliqués dans le glossaire.

Du cubisme au surréalisme

Au XXe siècle, grâce aux sciences et aux techniques, le monde change constamment, il ouvre des horizons inouïs. En peinture et en sculpture, les artistes vont explorer ces nouveaux territoires, rechercher de nouvelles formes et créer de nouveaux espaces pour dire autrement le monde : son éclatement (le cubisme), son mouvement permanent (le futurisme), sa soif d'idéal (l'abstraction), son désordre (le dadaïsme), son imaginaire (le surréalisme). À quoi bon singer la photographie ? Désormais l'art ne prétend plus reproduire une illusion de la réalité observée. Il revendique la liberté de faire allusion à une réalité plus large et plus fuyante, celle de son siècle.

Les créateurs de l'art moderne, dont il est question ici, sont le produit de leur époque, celle des grands bouleversements, des grandes mutations. Constitués en mouvements, ils vont livrer bataille aux formes et aux idées en place. Pour ces turbulentes avant-gardes, créer c'est innover : ne pas représenter ce que l'on voit, mais ce que l'on pense et ce que l'on sait, en toute liberté !
De 1907 à 1940, du cubisme au surréalisme, cet ouvrage se propose de retracer, pour l'essentiel, l'histoire mouvementée de l'apparition de ces nouvelles formes artistiques.

La Joconde aux clés (1930),
Fernand Léger.

Les traits de la modernité

Liée à l'idée de progrès, la modernité est tournée vers l'avenir. Elle s'exprime dans une marche en avant continuelle.

La modernité

Les temps modernes ne sont pas la modernité. Parler de modernité n'a guère de sens quand il s'agit d'un pays sans tradition ni Moyen Âge, comme les États-Unis. Inversement, la modernisation a un impact très fort dans les pays du tiers-monde de forte culture traditionnelle. On le voit, par définition la modernité s'oppose à la tradition. Elle incarne le changement, elle fait de la rupture une valeur. Le mot modernité apparaît en Europe à partir du XVIᵉ siècle mais ne prend tout son sens qu'à partir du XIXᵉ siècle. Il désigne alors la société moderne qui se réfléchit comme telle, se pense en termes de modernité et donc adopte un mode de vie articulé sur le changement, l'innovation.

L'esprit

À l'ère de la productivité, de la croissance démographique et de la concentration urbaine, la modernité est devenue une pratique sociale et le changement une morale. La mesure du temps elle-même a changé. Avec l'essor prodigieux des moyens de communication et d'information, le temps moderne s'est substitué au temps cyclique des travaux et des fêtes.

Le monde

Autres temps, autre monde. La réalité du monde moderne est désormais fuyante. Elle échappe à notre emprise. Si la vision du monde s'est élargie, l'homme a toujours besoin de repères. Il ne se connaît et ne se comprend que par rapport à une certaine image qu'il se donne des phénomènes qui l'entourent. Pour l'artiste auquel il revient de figurer le monde par un système mental de représentation, c'est un véritable défi. La complexité du monde moderne, et ses effets sur l'homme, impliquent la création de nouveaux espaces, de nouvelles formes.

« Il n'y a pas de lois de la modernité, il n'y a que des traits de la modernité. »
Jean Baudrillard, écrivain.

ART MODERNE   CUBISME   FUTURISME   ABSTRACT

L'artiste moderne

Les formes qu'il invente ne reproduisent plus un monde à l'identique, mais ce qu'il en sait et la manière dont il le pense. Cette attitude le conduit à expérimenter sans cesse. Puisque tout change tout le temps, il lui faut innover toujours. Il va rejeter les lois de la perspective traditionnelle qui suggère la profondeur, abolir la peinture descriptive et narrative, préférer le motif au sujet, parfois le laid au beau, l'inachevé au fini, s'inventer d'autres matériaux et d'autres outils... Il va mettre fin à quatre siècles de tradition picturale occidentale et perturber définitivement nos habitudes de voir.

Tête mécanique ou *L'esprit de notre temps* (1919-1920), Raoul Hausmann.

La fin des illusions

Les jeunes avant-gardes artistiques rejettent les lois de la perspective classique. Celles-ci créent l'illusion d'une profondeur et des volumes sur une surface plane afin de reproduire fidèlement les apparences. Contrairement à l'art traditionnel, l'art moderne actualise ses modèles : l'Apollon grec fait place à Charlie Chaplin, ce héros désarticulé des *Temps modernes* (1935), ou bien il prend le visage d'un masque africain récemment découvert. L'art nouveau va chercher son inspiration dans le présent immédiat ou dans le passé reculé des peuples archaïques. L'homme devient aussitôt méconnaissable. Le monde stable et ordonné éclate. Les institutions, la critique et le public crient au scandale. Mais la révolution esthétique est en marche... On le voit, la modernité comme mode de vie pour l'homme et pour l'artiste implique aussi l'inquiétude, l'instabilité, la tension, la crise.

La modernité s'oppose à la tradition et fait du changement une morale. Pour figurer le monde moderne, l'artiste refuse la perspective classique à trois dimensions.

Les pionniers de la rupture

La matière, le lieu, l'espace et le temps ne peuvent plus être considérés comme les absolus qu'ils ont longtemps représentés.

L'artiste répond à tout cela de diverses manières: il donne libre cours à sa spontanéité (Monet, Van Gogh, Gauguin, Degas) ou bien il élabore une méthode pour recréer un ordre (Seurat, Cézanne). Désormais, il n'a qu'une certitude: un tableau est une surface plane (Matisse et les Fauves).

Avant le cubisme

Les pionniers de la fin du XIXᵉ siècle sont des solitaires convaincus de la nécessité impérieuse de rajeunir la peinture. Le rejet de la tradition va les conduire par étapes à toute une série de ruptures avec les formes conventionnelles de l'art. En 1890, le peintre Maurice Denis écrit: *« Se rappeler qu'un tableau, avant d'être un cheval de bataille, une femme nue ou une quelconque anecdote, est essentiellement une surface plane recouverte de couleurs en un certain ordre assemblées. »*

La Rue Montorgueil (1878),
Claude Monet.

La couleur : Monet (1840-1926) et Van Gogh (1853-1890)

Les tableaux des impressionnistes exposés en 1874 créent le premier scandale. Peindre sur le motif, en plein air, suppose d'aller plus vite à l'essentiel. Sans dessin préalable, Claude Monet et ses amis couvrent leurs toiles de petites touches de couleur pure qui font taches et brouillent le contour des formes. Ils donnent à leurs tableaux l'aspect d'esquisses pour exprimer « un sentiment juste de la nature et de la vie ». À leur suite, Van Gogh dit vouloir peindre « les terribles passions humaines. » Il emploie des couleurs violentes auxquelles il attribue un rôle psychologique et déforme les figures à des fins

ART MODERNE | CUBISME | FUTURISME | ABSTRACTI

expressives. Sa touche est comme une écriture. Il dessine directement dans la peinture. La couleur n'est plus descriptive; arbitraire, elle a son propre langage.

Le trait, les volumes : Gauguin (1848-1903)

Contemporain de Van Gogh, Gauguin utilise des aplats de couleur totalement irréalistes cernés d'un trait comme le vitrail. Les formes sont soumises à tout un jeu d'arabesques décoratives. Pour les figures, il s'inspire des volumes simplifiés de la sculpture polynésienne auxquels il donne en peinture un contenu symbolique. Pour lui, «la barbarie est un rajeunissement». Gauguin ouvre la voie aux formes du primitivisme qui influenceront l'art du XXᵉ siècle.

Le cadrage : Degas (1834-1917)

Dessinateur avant tout et passionné de photographie, Degas fractionne le champ visuel, adopte des points de vue plongeants ou en contre-plongée, traduit notre perception visuelle instantanée en liant des espaces distincts, restitue la spontanéité de la vision. L'œil du peintre rivé au trou de la serrure saisit le modèle dans son intimité, le domine, grossit un détail, aplatit l'espace, tasse les formes, ou bien en livre plusieurs points de vue par l'artifice du miroir.

La méthode : Seurat (1859-1891)

Avec le petit point sur toute la surface du tableau, Seurat résout le problème du dessin et de la couleur qui ne font plus qu'un. De près, les formes se brouillent, de loin, les points se reconstituent en lignes et les formes se figent. Le mélange des couleurs primaires s'opère à distance par fusion optique. Le tableau est une surface vibrante et le contour des figures dépend du recul du spectateur. Avec froideur et précision, Seurat applique la méthode du petit point pour recréer un nouvel ordre à partir de la réalité. La nécessité d'analyser la réalité à l'aide d'une méthode pour aboutir à une unité picturale apparaît comme l'idée dominante des grands mouvements du XXᵉ siècle.

> Si au XXᵉ siècle l'art est un champ de bataille où s'affrontent simultanément de nombreux mouvements, avant le cubisme, il est surtout affaire d'expression et de conquête individuelle.

Le rôle de Cézanne

Cézanne se définit comme « *le primitif d'une nouvelle sensibilité* ». Il est considéré comme l'un des plus grands précurseurs de l'art moderne, « *notre père à tous* » dira Picasso.

La Femme à la cafetière (1890-1895), Paul Cézanne.

La synthèse

Cézanne (1839-1906) « *ne veut pas séparer les choses fixes qui apparaissent sous notre regard et leur manière fuyante d'apparaître. Il veut peindre la matière en train de se donner forme, l'ordre naissant par une organisation spontanée* » (Merleau-Ponty). Il va faire la synthèse de ce qu'il voit (le fixe) et de ce qu'il perçoit (le flou). Il veut peindre ses sensations, son émotion devant le spectacle de la nature : son aspect grandiose, solide, immuable (il simplifie les formes à leur géométrie), et son devenir permanent, les palpitations de la vie (il supprime le contour des formes et établit « des passages » entre les divers composants). Il cherche à unir des éléments contradictoires, à traduire en peinture les sentiments d'éternité et de fugitif que lui évoque sa vision du monde.

La méthode

Il simplifie les formes à leurs volumes d'origine, et réduit « *tout à la sphère, au cône, au cylindre* ». Il observe que lorsque « *la couleur est à sa richesse, la forme est à sa plénitude* ». La forme de la mer par exemple est donnée par un aplat bleu intense et opaque. À ces éléments stables, il oppose des zones colorées au moyen d'une touche régulière de biais qui suggèrent les effets de la lumière sur la végétation. Entre les formes solides, il peint le frétillement de la vie. La juxtaposition des couleurs suffit à évoquer simultanément le près et le lointain, la profondeur.

L'expérimentation

Les portraits et les natures mortes sont des prétextes à expérimenter sa méthode. Les figures sont figées comme des pommes, mais la multiplicité des points de vue (de face, de dessus, de dessous) crée des effets d'instabilité. Certains espaces non recouverts de peinture agissent comme des respirations. Dans sa série sur le thème des baigneuses, où il veut unir les figures et le paysage, il n'y a plus de distinction entre le fond et les formes, mais une unité de surface.

L'influence

La rétrospective de ses œuvres au Salon d'Automne en 1907 et la publication de sa correspondance marqueront de nombreux peintres. Comme Cézanne, ils chercheront à partir de zéro. Ils s'intéresseront à la présence physique des objets, à leurs relations spatiales, aux tensions qu'ils entretiennent entre eux, et ils élaboreront une méthode pour créer un nouvel ordre. Désormais, avant d'être un paysage, un tableau est un rapport de formes et la fonction de l'art est d'exprimer directement une expérience.

Matisse et les Fauves

Chef de file de la peinture «fauve» (1905) – ainsi dénommée pour son aspect sauvage –, Matisse (1869-1954) assimile la couleur à l'énergie vitale. Il cherche à créer un effet de sidération et d'excitation. Son ami Derain compare les couleurs à «des cartouches de dynamite». Héritiers de la couleur de Van Gogh, de Gauguin et de Signac (disciple de Seurat), qu'ils radicalisent, les Fauves provoquent le premier scandale de l'art du XXe siècle. Le rejet de toute tradition occidentale le conduit à s'intéresser à l'art colonial qu'ils découvrent fascinés au Musée ethnographique du Trocadéro. Ils se constituent aussitôt une collection de masques africains. L'art qui va naître prend des connotations barbares.

> L'avenir appartient à ceux qui décident de partir de zéro et se débarrassent délibérément des préoccupations de style et de métier : ceux-là se nomment Cézanne, Matisse et les Fauves.

Le cubisme : une révolution

Par son aspect expérimental, le cubisme est le courant le plus novateur du premier quart du XXᵉ siècle. Il ouvre un chapitre nouveau de l'histoire de l'art occidental sur lequel il exercera une influence profonde (futurisme, abstraction, dadaïsme, surréalisme).

Les précurseurs : Braque (1882-1963) et Picasso (1881-1973)

Le cubisme est une suite d'expériences plastiques menées en cordée par deux solitaires, Braque et Picasso. De 1907 à leur séparation en 1914, ils conçoivent un nouveau langage pictural qui veut répondre au défi relevé par les premiers modernes : donner une image plus objective de la réalité que la simple apparence. Ils vont procéder par tâtonnements : d'abord simplifier (période cézannienne), puis déconstruire (phase analytique), enfin rebâtir (phase synthétique). Ils ne datent ni ne signent leurs œuvres. Ils n'exposent pas en groupe, ni au Salon mais dans des galeries privées. Ils n'appartiennent à aucun mouvement et sont ignorés du public. Leur démarche est confidentielle et seulement connue de quelques proches.

Portrait de D.-H. Kahnweiler (1910), Pablo Picasso.

Du mot au mouvement

Le mot de « cubes » est prononcé par Matisse devant les paysages que Braque peint en 1908. Peu après, le critique d'art Louis Vauxcelles qualifie les mêmes tableaux de « bizarreries cubistes ». En 1910, quelques jeunes artistes partiellement informés des travaux de

ART MODERNE   CUBISME   FUTURISME   ABSTRACTI

Braque et de Picasso se constituent en groupe sous l'appellation de «cubistes» (Metzinger, Delaunay, Léger, Gleizes, Le Fauconnier). Le cubisme s'officialise en tant que mouvement en 1911, lors de l'exposition des œuvres de ces artistes au Salon des Indépendants et en l'absence de ses deux fondateurs. Toutefois, un tableau de Juan Gris intitulé *Hommage à Picasso* contribue à établir l'idée que Picasso en est le chef de file. À Puteaux, Picabia, La Fresnaye, les frères Duchamp (Jacques Villon, Marcel Duchamp et Duchamp-Villon) systématisent la vision cubiste. À travers la représentation de l'objet fragmenté, ils recherchent le parfait équilibre, des accords idéaux de proportions, de dimensions et de couleurs. Ils prennent le nom de «Section d'or» en 1911.

Cubisme et cubistes

Le cubisme rationnel de Braque et de Picasso, rejoints par Juan Gris en 1912, aboutit par étapes à une nouvelle grammaire. Il est avant tout une manière de penser et de concevoir la peinture comme un langage neuf qui n'a plus rien de commun avec le langage habituel et qui s'enrichit au fur et à mesure qu'on le pratique. À l'inverse, le mouvement cubiste tend à faire du cubisme un style et n'en retient que le vocabulaire (les formes géométriques).

Lire le tableau : idée du cubisme

Braque et Picasso prennent pour sujet les objets ordinaires du quotidien. Ces objets n'ont rien à raconter, ils sont des prétextes pour les peintres à expérimenter toutes les combinaisons. L'apparente inexpressivité des choses permet aussi de faire parler la peinture. Autrement dit, c'est la peinture qui fait vivre le motif et non pas le sujet qui donne vie à la peinture. Leur cubisme se concentre sur le langage des formes et non pas sur celui de la couleur. Les œuvres sont statiques. Les peintres nous invitent à lire le tableau en suivant la logique de sa construction. Ils sollicitent notre mental et notre participation : à nous de compléter telle ou telle forme, d'imaginer telle ou telle autre... Le cubisme est un système ouvert à toutes les possibilités.

> Le cubisme de Braque et de Picasso consiste à expérimenter sans cesse de nouvelles formes, tandis que les cubistes constitués en mouvement font du cubisme un style.

Le pré-cubisme : (1907-1909) L'art de simplifier

La leçon de Cézanne et de l'art tribal africain sur les volumes conduit Braque et Picasso à peindre les choses non pas comme ils les voient, mais comme ils les pensent.

L'art nègre

La découverte de l'art nègre enthousiasme Picasso. Son pouvoir d'émotion, son effet d'apparition et ses déformations expressives ne peuvent que le séduire. Dans les masques africains, il trouve l'intensité d'expression, la clarté de structure et la simplicité technique qu'il cherche en peinture. Ce langage primitif, qui ne prétend pas reproduire la réalité mais signifier des idées, se révèle plus fort que l'art occidental.

Les Demoiselles d'Avignon (1907), Pablo Picasso.

Si les figures de gauche évoquent l'art de la sculpture ibérique, celles de droite rappellent les masques africains (nez rabattu, scarifications, faciès taillés à la serpe).

Picasso – Les Demoiselles d'Avignon (1907)

Avec ce grand tableau initialement intitulé *Le Bordel philosophique*, Picasso met fin à quatre siècles de tradition picturale. Avec une audace qui stupéfiait même ses proches, Picasso fait coexister différents styles, différents points de vue, comprime la profondeur, imbrique les formes, le tout soutenu par des couleurs violentes. Le tableau ne sera pas exposé avant les années 1930. Il marque une rupture radicale avec tout ce qui le précède et ouvre la voie à de nouvelles libertés.

Braque et l'art de Cézanne

Braque rend hommage à Picasso et se tourne vers l'art de Cézanne. Ses vues de l'Estaque sont réduites à des volumes simples, la profondeur est suggérée par une superposition de plans, la surface est découpée en facettes qui donnent à l'image une forme cristalline. La palette du peintre s'assombrit et se concentre sur les effets de clair-obscur. L'ensemble, fragments de formes et contrastes lumineux, construit l'espace.

ART MODERNE   CUBISME   FUTURISME   ABSTRACTI

Le cubisme analytique : (1909-1912)
L'art de déconstruire

Braque et Picasso veulent montrer une image aussi complète que possible des objets (qui sont en volume) sur une toile (qui est plane).

L'analyse

Il ne s'agit pas de détruire mais de déconstruire pour comprendre et enrichir. La décomposition d'objets en volumes simples rappelle l'analyse cartésienne. Descartes disait qu'il fallait « *diviser chacune des difficultés en autant de parcelles qu'il se pourrait et qu'il serait requis pour les mieux résoudre et ensuite monter peu à peu comme par degré jusqu'à la connaissance des plus composées.* » Méthodiquement, Braque et Picasso vont analyser la structure des objets, mettre à plat les volumes décomposés en multiples facettes (plans), et recomposer leurs tableaux à partir de ces petits morceaux de la réalité, comme une sorte d'échafaudage.

**La Femme assise (1910),
Pablo Picasso.**

L'artiste fait éclater la forme, afin de la mettre à plat, et en montre simultanément plusieurs aspects : de face, de dos, de dessus.

Du volume au signe

Dissymétriques, les facettes qui composent la *Femme assise* (1910) de Picasso suggèrent que celle-ci est vue de plusieurs points dans l'espace, que le regard tourne autour du sujet. Du même peintre, les facettes, à nouveau brisées, du *Joueur de guitare* (1910) sont réduites à des angles qui s'interpénètrent, abolissant la traditionnelle distinction entre la forme et le fond. Simplifié à nouveau, le tableau, tel un miroir brisé, brouille la lecture des signes à peine repérables (Braque, *Nature morte au violon*, 1911). Pour finir, les œuvres deviennent totalement illisibles, « hermétiques » et prennent l'aspect d'une grille.

La lumière

Pour ne pas se détourner des problèmes formels qui les occupent, les artistes évacuent la couleur et réduisent leur palette au camaïeu de brun, de gris et d'ocre. Les zones colorées établissent des passages entre les plans. La lumière en clair-obscur restitue l'idée du volume, en façonnant les fragments de formes. Elle donne des effets de profondeur et de transparence.

> Le cubisme expérimental de Braque et de Picasso les conduit à simplifier puis à déconstruire les formes pour mieux les comprendre.

L'art du bricolage : retour au réel

Braque et Picasso refusent l'abstraction. Ils figurent et collent des éléments du réel dans leurs tableaux pour faciliter la compréhension des œuvres.

Le réel

Ils représentent quelques détails : clés de sol, ouïes d'instruments de musique ou cordes qui suffisent à suggérer un violon par exemple (Braque, *Le Guéridon*, 1911). Un peu plus tard, Braque utilise des lettres peintes au pochoir qui introduisent une dynamique propre à la lettre ou au mot (sa forme, son orientation, son réalisme). Les lettres se superposent aux plans colorés et acquièrent un pouvoir visuel et sonore. Leur qualité d'aplats crée des repères dans la profondeur de l'espace (Braque, *Le Portugais*, 1911).

Papiers collés

Plutôt que de reproduire la matière de l'objet, Braque colle directement sur la toile des papiers peints imitant ces matières : bois, marbre, cannage, tapisseries... Viendront ensuite des morceaux de journaux, des timbres-poste ou des cartes de visite. Ces éléments produisent de nouveaux rapports spatiaux, font avancer ou reculer certains plans. Puis Braque introduit du sable, de la sciure, de la limaille de fer qui changent la texture de la surface et font réapparaître la couleur.

Collages d'objets

Dans la *Nature morte à la chaise cannée* (1912), Picasso colle un morceau de toile cirée rappelant le cannage de la chaise, ainsi qu'une vraie corde pour évoquer la bordure de la nappe et le cadre du tableau. C'est le premier collage d'objets de l'histoire de l'art. Le format ovale du tableau permet de comprimer les éléments à l'intérieur du cadre, de créer des tensions. L'idée d'intégrer des objets réels aux tableaux pour faciliter la compréhension des œuvres est une véritable trouvaille. D'ailleurs, Picasso affirme qu'il n'expérimente pas, ne cherche pas, il trouve !

Nature morte à la chaise cannée (1912), Pablo Picasso.

Le cubisme synthétique
L'art de rebâtir (1912-1925)

La pratique du papier collé va transformer la pratique de la peinture. Braque, Picasso et Juan Gris vont renouer avec la couleur et chercher à construire des assemblages de formes strictement planes.

La synthèse

Les papiers collés comme surfaces planes colorées ouvrent de nouveaux horizons. Les artistes se détachent de la décomposition analytique des formes (*voir* p. 13) pour s'intéresser aux larges plans et aux couleurs. Ils ne fragmentent plus l'objet à représenter, ils en font la synthèse. Entre les objets redevenus reconnaissables et réduits à leur forme simple s'intercalent des rectangles de peinture aux textures en trompe-l'œil* qui imitent les effets des papiers collés. Pour souligner l'ambiguïté de la réalité et de la vision que nous en avons, cette fois, c'est donc la peinture qui joue du trompe-l'œil au point qu'il est bien difficile de distinguer le vrai du faux !

Le Petit Déjeuner (1910-1915), Juan Gris.

Les assemblages

Après les collages vient le temps des assemblages, des «constructions». Les œuvres synthétiques sont «bâties» avec des papiers épinglés sur la toile jusqu'à trouver l'équilibre, puis ils sont aussitôt retirés pour laisser place à la peinture. Le *Portrait de jeune fille* de Picasso (1914) est un patchwork de fragments peints en trompe-l'œil (dessin, marbre, papier peint) et de surfaces monochromes ou pointillées. Plus simples, les compositions de Juan Gris, compagnon de route de Braque et de Picasso dès 1911, montrent un grand souci de rigueur plastique. Vers la fin de 1913, les possibilités décoratives du cubisme synthétique seront largement exploitées et auront une influence profonde sur la typographie, les décors de théâtre moderne et la décoration intérieure ; on parle alors de style Art déco).

> L'art du bricolage avec les premiers collages en trompe-l'œil conduit Braque et Picasso à assembler des formes désormais planes et à réintroduire la couleur. C'est la phase synthétique du cubisme.

Variations cubistes

Braque et Picasso ont inventé un nouveau langage plastique qui s'applique aussi à la sculpture. Leurs héritiers, les cubistes Léger et Delaunay, font surgir à leur tour de nouvelles formes.

Fin de l'aventure

La guerre et la séparation de Braque et Picasso en 1914 mettent un point final au développement du cubisme. Picasso retourne aux sources de la peinture académique (Ingres), puis, en 1925, avec *Les Trois Musiciens*, il fait revivre le « style » synthétique en pleine période surréaliste.

Le cubisme : une écriture

Principal soutien de Braque et de Picasso, le marchand d'art D.-H. Kahnweiler résume ainsi l'idée maîtresse : « *La peinture est une écriture qui crée des signes. Une femme sur une toile n'est pas une femme ; c'est un ensemble de signes que je lis comme "femme". (…) Quand vous écrivez sur une feuille de papier "f-e-m-m-e", eh bien, la personne qui sait le français et qui sait lire lira non seulement le mot femme mais elle verra pour ainsi dire une femme. La même chose pour la peinture. La peinture n'a jamais été un miroir du monde extérieur, elle n'a jamais non plus été semblable à la photographie.* »

La sculpture

Paradoxe : le cubisme, procédé de décomposition du volume sur une surface plane, s'applique aussi à la sculpture, œuvre à trois dimensions. Dans *Tête de femme* (1909), Picasso construit sa tête à partir de petits éléments plastiques de forme concave ou convexe qui révèlent l'ossature du visage. *Bouteille de Bass, verre et journal* (1914) est à la limite entre peinture et sculpture, de même que *Violon* (1915), tableau-relief en tôle peinte et pliée. La véritable révolution apparaît dans les assemblages d'objets : *Verre d'absinthe* (1914) (bronze peint et sablé, grille à absinthe) dont s'empareront Tatline, Rodchenko (*voir* pp. 32-33) et les dadaïstes.

La Noce (1910-1911), Fernand Léger.

ART MODERNE | CUBISME | FUTURISME | ABSTRACTION

Cubistes

Les adeptes du cubisme n'ont pas pu avoir véritablement accès à la démarche commune de Picasso et de Braque et ignorent la logique interne de leur travail. Ils trouvent, dans la géométrisation des formes, une pratique apte à réduire les contradictions de la peinture avec la réalité du monde moderne industriel. Parmi eux, Delaunay et Léger élaborent un nouveau langage formel à partir du cubisme cézannien.

Fernand Léger : période constructive

Héritier de Cézanne qui lui « *a appris l'amour des formes et des volumes* », Léger a le souci de construire. Dans *La Noce* (1911-1912), l'artiste emprunte au cubisme le dessin strict, les couleurs discrètes, la géométrisation des formes décomposées en facettes, les volumes emboîtés et « les passages » colorés d'une zone à l'autre. Mais s'il conserve l'idée du cubisme, il marque aussi sa différence en introduisant des sujets qui racontent une histoire (contrairement à Braque et Picasso), ainsi qu'un mouvement dynamique et un effet de profondeur. Léger a découvert la loi des contrastes « *qui est éternelle comme moyen d'équivalence dans la vie* ». Il oppose des courbes à des droites, des surfaces plates à des formes modelées, des tons locaux purs à des gris nuancés. Ses œuvres intitulées *Contrastes de formes* le mènent à une relative abstraction.

Robert Delaunay : période destructive

Ce que Delaunay retient du cubisme, c'est la désintégration des formes. Dans ses œuvres *Saint-Séverin* et *Tour Eiffel* (1909-1911), sous l'action dissolvante de la lumière qui fuse de partout, l'image éclate en fragments distincts, obéissant à des perspectives différentes. Il refuse le dessin linéaire, rejette l'idée même du recours à la ligne, et qualifie les œuvres analytiques de toiles d'araignées. Il revient alors à la touche pointillée de Seurat (*voir* pointillisme*), qui lui permet de délimiter les formes par la juxtaposition des plages colorées : *La Ville de Paris* (1909-1912).

Marchand d'art

Grâce au marchand d'art D.-H. Kahnweiler, qui envoie dès 1910 les œuvres de Braque et de Picasso aux grandes expositions à l'étranger, le cubisme va être connu de par le monde. Il connaît un retentissement énorme à New York.

Le cubisme va donner lieu à toute une série de variations dans la sculpture et dans la peinture de Fernand Léger et Robert Delaunay. Il constitue une étape, un tremplin pour la plupart des grands artistes du XXe siècle.

Le futurisme italien : un mouvement international

Le futurisme italien est la première avant-garde militante. Marinetti, son fondateur, se charge de provoquer des scandales avec des déclarations tonitruantes: « *Nous voulons chanter l'amour du danger, l'habitude de l'énergie et de la témérité.* »

Dynamisme d'une automobile (1911), Luigi Russolo.

Le mouvement

Rebelle à toute tradition, le futurisme est un mouvement artistique et littéraire né à Rome en 1904. Il est défini en tant qu'idéologie à Milan et reconnu officiellement en 1909 à Paris, alors capitale de l'art moderne. Jusqu'en 1914, il connaît son plein épanouissement, se diffuse en Europe, aux États-Unis et en Russie à grands renforts de conférences, de concerts, d'expositions et de revues publiées depuis Florence. La Première Guerre mondiale et l'installation en Italie du régime fasciste mettent un terme à son développement.

À nous Paris !

L'écrivain italien Filippo Tommaso Marinetti (1876-1944) crée le mot de Futurisme dans un manifeste publié dans *Le Figaro* du 20 février 1909. « *Nous lançons ce manifeste de violence culbutante et incendiaire par lequel nous fondons le Futurisme, parce que nous voulons délivrer l'Italie de sa gangrène de professeurs, d'archéologues, de cicérones et d'antiquaires.* » La virulence du mouvement en Italie s'explique par l'emprise très forte de l'académisme sur l'art de ce pays. L'ambition du futurisme est de détrôner le cubisme et de prendre la tête de la peinture européenne.

Glorification du progrès

« *Le Futurisme se fonde sur le renouvellement total de la sensibilité humaine produit par les grandes découvertes scienti-*

fiques.» À coup de manifestes lus à haute voix, Marinetti chante la technique, le monde moderne et sa beauté qui naît dans le mouvement. L'art doit se débarrasser des sujets d'atelier, chercher son inspiration dans la rue, glorifier l'ère de la machine et de la technologie.

Le culte de la vitesse

«Nous déclarons que la splendeur du Monde s'est enrichie d'une beauté nouvelle, la beauté de la vitesse. Une automobile de course avec son coffre orné de gris tuyaux, tels des serpents à l'haleine explosive… une automobile rugissante qui a l'air de courir sur de la mitraille est plus belle que la Victoire de Samothrace.» Désormais, il s'agit de peindre la simultanéité des choses vues et de suggérer la multiplication des sensations reçues.

Idéologie

L'art se doit d'être à l'image de cette époque: vivant et agressif. À coups de théories et de manifestes, le futurisme exprime des opinions radicales en matière politique et sociale. Marinetti exalte *«les grandes foules agitées par le travail, le plaisir et la révolte»* et conclut : *«La beauté naît de la lutte.»* L'intervention des futuristes dans la vie politique engendre un artiste nouveau, l'artiste engagé. Celui-ci s'octroie un rôle actif dans les débats publics, convaincu que l'art peut contribuer à changer le monde.

Nouveaux sujets

La peinture se fait le témoin de la vie urbaine contemporaine: *La Journée de l'ouvrier* (1904, Balla), *Les Funérailles de l'anarchiste Galli* (1910, Carra), *Banlieues* (1908-1910, Boccioni), *La Révolte* (1911, Russolo)… Plutôt que de s'attacher à l'anecdote de tel ou tel événement, les peintres évacuent tout sentimentalisme et suscitent, à partir des formes et des couleurs, l'idée d'un affrontement ou d'une cadence. De la même façon, ce n'est pas l'automobile qui les intéresse, mais son moteur, son énergie et sa force : *Vitesse d'automobile + lumière + bruit* (1913, Balla), *Dynamisme d'une automobile* (1911, Russolo).

À la conquête de Paris, le futurisme italien glorifie le progrès, fait de la vitesse un culte, revendique un rôle politique et s'inspire de la vie urbaine.

Les artistes

« Nous trouverons les équivalents abstraits de toutes les formes et de tous les éléments de l'univers, puis nous les combinerons ensemble selon le caprice de notre inspiration pour former des complexes plastiques que nous mettrons en mouvement. » **(extrait du *Manifeste futuriste*).**

Nouvelles formes

Au XIXᵉ siècle, les peintres de la vie moderne (Turner, Monet, Renoir) savent que pour restituer l'idée du mouvement, il faut sacrifier les formes dessinées à l'expression colorée.
Les peintres futuristes vont plus loin :
ils ne suggèrent pas le mouvement, ils le peignent.
Ils veulent restituer la sensation dynamique
elle-même.
Leurs tableaux tendent vers la simplification abstraite.

L'espace-temps

Parce qu'il refuse l'artifice d'une troisième dimension (profondeur), le cubisme décompose la réalité en fragments et livre simultanément plusieurs points de vue d'un même objet. Partant de cet héritage, mais refusant son statisme (*voir* p. 11), les futuristes intègrent l'idée d'une quatrième dimension, celle de l'espace-temps, pour peindre l'immédiateté d'une vision dynamique. Ils se réfèrent aux travaux scientifiques de Muybridge, photographe américain, et de Marey, physiologiste français, sur la chronophotographie : celle-ci permet de réaliser une décomposition photographique des mouvements humains impossibles à saisir à l'œil nu.

Umberto Boccioni (1882-1916)

Théoricien, peintre et sculpteur, cet artiste cherche à exprimer la civilisation moderne à partir de thèmes qui évoquent des figures en action (*Dynamisme d'un footballeur*, 1913), la force d'une foule (*La Ville qui monte*, 1911) ou des êtres isolés (*Lignes et forces d'une tête d'homme*, 1914). Il traduit plastiquement les états d'âme (*Les Adieux, ceux qui s'en vont, ceux qui restent*, 1911). Les lignes et les plans, la lumière et la couleur créent un espace discontinu mais fortement organisé. Boccioni veut saisir l'instant de l'acte. L'assymétrie des compositions et le rendu fragmentaire de la couleur violente restituent dynamisme et mouvement.

Giacomo Balla (1871-1958)

Au début, Balla recherche l'expression directe du mouvement qu'il décompose en séquences, utilisant pour la couleur le pointillisme* de Seurat (*La petite fille courant* *sur le balcon*, 1912 – *Dynamisme d'un chien en laisse*, 1912 – *Rythme d'un violoniste*, 1912). Puis il s'intéresse à des formes plus subtiles de la mobilité (*Vol d'une hirondelle*, 1913), celles des astres (*Mercure passe devant le Soleil*, 1914) ou de la lumière (*Compénétration iridescente*, 1912). Ses œuvres sont alors des allégories abstraites de la force dynamique.

Gino Severini (1883-1966)

L'artiste passe l'essentiel de sa vie à Paris et son futurisme emprunte à l'atmosphère de la capitale. Parmi ses thèmes favoris, il faut mentionner celui de la danse qu'il traduit par la multiplication de plans rythmés, et celui de la frénésie de la ville qui engendre un chahut d'images saccadées, ponctuées de mots comme « métro, sortie, Pigalle, Direction Saint-Lazare, 1re classe »… (*Nord-Sud*, 1912).

Luigi Russolo (1885-1947)

Dans son tableau *Dynamisme d'une automobile* (1912), un bolide traverse les couches denses de l'atmosphère rendues visibles par les effets de la vitesse. Ici se résume la gageure de la peinture futuriste : rendre concrète la sensation fugitive du mouvement sur la surface statique d'un tableau.

Formes uniques dans la continuité de l'espace (1913), Umberto Boccioni.

Antonio Sant'Elia (1888-1916)

Cet architecte adhère au groupe futuriste en 1914 et lui apporte des idées résolument modernistes concernant l'urbanisme contemporain. Il conçoit la ville de l'avenir, la *Città nuova*, où de grands immeubles se dressent entre les rues à plusieurs niveaux, véritable architecture d'anticipation. Mort à la Grande Guerre, il n'aura pas le temps de réaliser ses projets où s'affirmait une vision grandiose et dynamique de l'espace architectural.

Pour représenter le dynamisme et la frénésie du monde moderne, les futuristes font surgir de nouvelles formes.

Les « futuristes » français

Informés de l'esthétique des futuristes italiens et de la recherche photographique, certains artistes cubistes du groupe de Puteaux introduisent le mouvement dans leurs œuvres, ce qui est contraire au cubisme. Indépendants et individualistes, ils prolongent les recherches artistiques purement intellectuelles de Braque et Picasso.

Jacques Villon (1875-1963)

Villon, l'un des trois frères Duchamp (*voir* p. 10), expérimente le cubisme à sa manière : il emprunte ses schémas de composition pyramidale à Léonard de Vinci, décompose le mouvement en séquences, et introduit à l'huile les couleurs légères de l'aquarelle. *Soldats en marche* (1913) évoque le martèlement du pas cadencé d'un régiment. Les formes fractionnées apparaissent comme au travers d'un miroir brisé.

Raymond Duchamp-Villon (1876-1918)

Au cœur des préoccupations plastiques de son époque, le sculpteur s'attache à représenter la sensation du dynamisme à partir de sujets chers aux futuristes : le mouvement et la machine. Allégorie du monde moderne, *Le Cheval* (1914), en bronze, est le développement en trois dimensions du morcellement cubiste. C'est aussi la tentative de montrer le mouvement de l'animal dans différentes attitudes avec des éléments mécaniques : bielles, pistons, engrenage.

Nu descendant l'escalier (1912), Marcel Duchamp.

Marcel Duchamp (1887-1968)

Pour suggérer le mouvement, Duchamp déplie ses figures en éventail. Il évolue de la technique de Muybridge (images séparées prises par plusieurs caméras) à celle de Marey, dont la chronophotographie lie dans un même fondu les mouvements successifs du corps. Le célèbre *Nu descendant l'escalier*

ART MODERNE | **CUBISME** | **FUTURISME** | **ABSTRACTIO**

(1912), n'est plus une peinture mais selon Duchamp *« une organisation d'éléments cinétiques, une expression du temps et de l'espace par la présentation abstraite du mouvement »*. Le tableau fait scandale au Salon des Indépendants de 1912, et l'artiste le retire. Présenté à New York, le nu est comparé à *« une explosion dans un dépôt de tuiles! »*

Francis Picabia (1879-1953)

Picabia est attiré par l'abstraction, c'est-à-dire *« une peinture située dans l'invention pure qui recrée le monde des formes suivant son propre désir et sa propre imagination. »* À New York, en 1913, il est fasciné par les couleurs et les rythmes de la cité américaine, son amour du sport et du jazz. De retour à Paris, il exécute de mémoire de grandes toiles comme *Udnie* (1913) dite aussi *Jeune fille américaine* ou *La Danse* (1913). Un ensemble de formes abstraites colorées, réparties de façon mouvementée dans un espace éclaté, suffit à donner l'idée de la danse.

Fernand Léger (1881-1955)

Léger adopte le parti opposé des futuristes : *« Prenons notre temps. Dans cette vie rapide et multiple qui nous bouscule, nous coupe en tranches, il faut avoir la force de rester lents et calmes, de travailler hors des éléments dissolvants qui nous entourent. »* À Verdun, en 1914, Léger dit avoir été ébloui par une culasse de 75 ouverte en plein soleil : *« Elle m'en a appris plus sur mon évolution que tous les musées du monde, écrit-il. Puisque je trouvais la machine si plastique, je voulais donner à la figure humaine la même plasticité. »* Son enthousiasme pour les formes mécaniques le conduit à combiner des éléments interchangeables : robots, rouages, pistons, roulements à billes, panneaux-réclame, signaux lumineux (*Pont du remorqueur*, 1920 – *Les Disques dans la ville*, 1920-1921). *« Nous vivons dans un monde géométrique, c'est indéniable, et aussi dans un état fréquemment contrasté. »* Ses tableaux évoquent de façon statique les rythmes du monde moderne.

Fascinés par les merveilles du progrès, les frères Duchamp décomposent le mouvement, Picabia peint des rythmes et Léger fait l'apologie de la machine.

Le futurisme russe

Mouvement littéraire et artistique, le futurisme russe connaît son apogée dans les années 1912-1914 à Moscou. Dans le climat libéral qui s'insurge contre la politique monarchique du tsar Nicolas II, l'avant-garde artistique prépare la révolution culturelle du futur monde communiste.

Portrait rayonniste de Tatline (1911), Michel Larionov.

Le néo-primitivisme

Au nom de la modernité qui veut mettre fin au réalisme académique, Michel Larionov (1881-1964) contribue à faire connaître le fauvisme* et le cubisme à Moscou. Il fonde le premier mouvement d'avant-garde* qu'il baptise du nom de néo-primitivisme (1909). À la recherche d'un langage moderne proprement russe, Larionov et sa compagne Gontcharova préconisent le retour à des sources nationales : icônes archaïques, jouets artisanaux (poupées gigognes), loubok (estampe populaire, dessin satirique), folklore russe (*Les Saisons*, 1911-1912).

Le rayonnisme

Avec des couleurs ardentes et des formes simplifiées, (parfois abstraites), Larionov apparaît comme le chef de file de l'avant-garde russe. Après sa rencontre avec l'Italien Marinetti (*voir* pp. 18-19) de passage à Moscou, il s'intéresse à la représentation du mouvement. Il publie en 1913 le *Manifeste du Rayonnisme* qui fait connaître ses principes : la peinture doit suggérer une quatrième dimension (espace-temps), être composée uniquement

ART MODERNE   CUBISME   FUTURISME   ABSTRACTI

de rayons de couleur*, de faisceaux de lignes à la manière de rayons lumineux, d'où le terme de rayonnisme (*Portrait rayonniste de Tatline*, 1911).

Le cubo-futurisme

Le style cubo-futuriste, initié par Larionov, combine l'éclatement cubiste du sujet, la vision du mouvement futuriste et les formes archaïques de l'art populaire russe. En Russie, pour créer nouveau, il faut commencer par faire la révolution de l'esprit et donc cultiver l'alogisme (absence de logique). Dans son tableau *Un Anglais à Moscou* (1914), Casimir Malévitch (1878-1935) fait coexister des objets hétéroclites à la manière des collages cubistes : un poisson, une échelle, des lettres, une bougie, un visage, une cuillère en bois rouge, à l'origine collée sur la toile. Dans cet esprit absurde, Maïakovski compose des poésies révolutionnaires, *Le Nuage en pantalon* (1914), *La Flûte des vertèbres* (1915) : « *Le mot ne doit pas décrire, mais exprimer par lui-même.* » Comme la peinture, « *Le mot a son parfum, sa couleur, son âme* ».

Activement rallié aux bolcheviks, l'art cherche aussi à forger son utopie sociale. Ainsi Malévitch dit vouloir « *traduire dans une forme primitive une préoccupation sociale* » : *Le Bûcheron, La Rentrée des moissons* (1912)… Dans *Le Rémouleur* (1912), l'artiste insiste sur le rythme mécanique du geste. Avant de s'exiler en France, Marc Chagall, Pavel Filonov, Ivan Pougny adopteront aussi le style cubo-futuriste.

Bilan

Sur le plan formel, l'art moderne russe, malgré ses emprunts à l'art local, demeure largement tributaire des mouvements artistiques occidentaux. Il faudra attendre 1915, lorsque Malévitch réalise ses premières œuvres suprématistes (*voir* pp. 32-33) et Vladimir Tatline ses sculptures constructivistes, pour qu'un art pleinement autonome s'affirme en Russie. « *Les cubo-futuristes ont rassemblé tous les objets sur la place publique, les ont cassés mais ne les ont pas brûlés. Dommage !* », déclare Malévitch.

Dans la Russie des années 1910, l'art, comme la société, se cherche. Néo-primitivisme, rayonnisme, cubo-futurisme..., les avant-gardes naissent dans un climat annonciateur de la révolution d'octobre 1917. Elles préparent la construction du mode de vie marxiste.

Delaunay et les vibrations extra-rapides

En France, après sa période cubiste, Robert Delaunay (1885-1941) fait un saut dans l'abstraction. La couleur devient l'unique objet de sa peinture.

Les contrastes simultanés

Vers 1912-1913, Delaunay (1885-1941) dit avoir eu « *l'idée d'une peinture qui ne tiendrait techniquement que par la couleur, des contrastes de couleur, mais se développant dans le temps et se percevant simultanément d'un seul coup* ». Il emploie le mot scientifique d'Eugène Chevreul* : « *les contrastes simultanés* », et peint ses premières toiles abstraites qu'il appelle *Fenêtres* (1913). La lumière éclate en plans de vives couleurs* qui, superposées et mêlées en une suite de transparences lumineuses, deviennent le sujet du tableau.

Formes circulaires (1912-1913), **Robert Delaunay.**

Les formes circulaires

Avec *Le Disque* (1912) et la série sur *Les Formes circulaires* (1912), Delaunay entre de plain-pied dans l'abstraction. Dans sa peinture, seule la couleur importe, elle a l'apparence visible de l'énergie. Apollinaire* l'appelle «*peinture pure*», puis parle «*d'orphisme*», faisant allusion à Orphée qui réconcilie les tendances fauve, cubiste et futuriste. Dans son livre *Du Cubisme à l'art abstrait*, Delaunay décrit ses tableaux. Les couleurs complémentaires par contraste se déploient dans le sens giratoire autour d'un cercle. Juxtaposées, elles déterminent des vibrations extra-rapides. Certaines avancent, d'autres reculent. La forme se développe dans le rythme circulaire et dynamique de la couleur, créant une profondeur différente de l'illusion donnée par la perspective. C'est l'interaction des couleurs (et leur perception successive) qui donne le rythme giratoire.

ART MODERNE | CUBISME | FUTURISME | ABSTRACTIO

Robert et Sonia

D'origine russe, Sonia Terk (1885-1979) épouse
Robert Delaunay en 1910. Elle mène, de pair avec lui,
une démarche picturale qui accorde la priorité absolue
à la couleur.

Dès 1913, Robert Delaunay revient à un certain ordre
figuratif avec des sujets de la vie moderne, *Hommage à
Blériot* (1914), *Manège électrique* (1922), *La Tour Eiffel*
(1926). Seule la technique est « antidescriptive » : les
contrastes de couleur produisent des rythmes qui s'enchaînent d'eux-mêmes, restituant un mouvement
continu. Dans le même esprit, Sonia peint *Le Bal
Bullier* (1913) évoquant des danseurs de tango par des
tournoiements de couleurs. Leur langage plastique
s'apparente à celui du cinéma. Sonia étend ses
recherches sur les formes et les couleurs aux arts déco-
ratifs et appliqués : collages et objets, reliures, vête-
ments et tissus « simultanés », décors et costumes de
théâtre.

> « *Voir est un mouve-
> ment.
> La vision est le véri-
> table rythme créa-
> teur.* »
> **Robert Delaunay.**

Le rythme des disques

En 1930, Robert Delaunay revient à l'abstraction pure.
Il entreprend une série intitulée « *Rythmes* », où les
formes circulaires sont désormais des disques fermés
vivement colorés. *Rythme, joie de vivre* (1930) est
construit sur un pur jeu musical de cercles colorés.
Dans *Rythme sans fin* (1933, 207 x 54), les rythmes des
disques s'enchaînent en s'interpénétrant de par et
d'autre d'une ligne médiane, tandis que *Rythmes-hélices*
(1934) développe un mouvement hélicoïdal.
Conscient du caractère monumental de ses œuvres,
Delaunay expérimente des matériaux résistant aux
agents atmosphériques (la pluie, le vent, le gel), crée
des tableaux en relief et intègre ses compositions
murales à l'architecture (*Décoration des pavillons des
chemins de fer et de l'air*, pour l'Exposition universelle
de 1937). *Les 3 Rythmes* (1938) constitue en quelque
sorte son testament spirituel : « *Moi artiste, je fais la
révolution dans les murs pendant que la mode est aux
tableaux de chevalet.* »

> Avec Robert et
> Sonia Delaunay,
> la couleur donne
> à la fois la forme,
> la profondeur,
> le dynamisme
> et le sujet.
> La peinture
> déserte le tableau
> de chevalet.

Kupka, l'art et la science

D'origine tchèque, le peintre Frantisek Kupka (1871-1957) se forme à Prague puis à Vienne et s'installe définitivement à Paris en 1895. Voisin des frères Duchamp à Puteaux, il participe aux expositions de la Section d'or. Son intérêt pour les sciences, la musique et l'astronomie le conduit à l'abstraction.

Mouvement et lumière

Influencé par la chronophotographie de Marey (*voir* pp. 20 et 22), Kupka tente, bien avant Marcel Duchamp et les futuristes italiens, de traduire le mouvement dans la peinture *Les Cavaliers* (1902). En 1908, avec *La Petite Fille au ballon*, il représente les diverses trajectoires d'un ballon dans l'espace, à l'origine des courbes et des ellipses de ses œuvres abstraites dynamiques. L'année suivante, il introduit une série de bandes étroites parallèles dans un paysage intitulé *Touches de piano*. Puis il systématise le procédé d'une division verticale en plans pour suggérer la décomposition du mouvement en séquences dans *Femme cueillant des fleurs* (1910). Il aboutit à une abstraction géométrique dépouillée avec *Plans verticaux* (1912) : de simples rectangles de couleur froide en suspens dans l'espace. À partir de ce nouveau répertoire de formes (courbes, ellipses, cercles ou stricts plans verticaux) vivement colorées Kupka va expérimenter toutes les possibilités de l'abstraction et chercher des correspondances entre peinture et musique.

Musique

Comme Delaunay (*voir* pp. 26-27), il s'intéresse aux «contrastes simultanés» des couleurs*. Il rappelle, avec *Les Disques de Newton* (1911), que bien avant Chevreul*, Newton avait commencé des études sur la décomposition de la lumière solaire. Désormais, Kupka va chercher à apparenter les couleurs aux sons. «*Je tâtonne encore dans le noir, mais je pense trouver quelque chose entre la vue et l'ouïe et produire une fugue en couleurs comme Bach l'a faite* en musique», *Fugue en deux couleurs, Amorpha* (1912). Exposées en 1912 au Salon d'Automne, ses œuvres abstraites font sensation. Le peintre refuse toute explication et poursuit son chemin en solitaire.

Sciences

D'une grande culture et passionné de sciences naturelles, Kupka découvre de nouvelles formes à la Sorbonne, où il suit des cours de physiologie et travaille au laboratoire de biologie (1905).

Lignes animées (1921), Frantisek Kupka.

Le microscope lui révèle la structure et le mouvement de la matière organique qui inspireront ses œuvres. *Espaces animés* (1922) emprunte à la géométrie des cristaux. D'une grande pureté, les formes jaillissent sur un fond blanc comme des voûtes gothiques évoquant un rythme musical. Dans cet univers, le monde minéral et le monde végétal palpitent, déclinés en dégradés de bleus, de violets et de verts. Avec le même bonheur, Kupka s'inspire des planches astronomiques qui lui dictent des espaces infinis vertigineux : *Autour d'un point* (1911), *Printemps cosmique 1* (1913).

Abstraction-Création

À partir de 1930, son vocabulaire formel se limite à la stricte géométrie et à des couleurs réduites au rouge, au bleu et au blanc. La physiologie et la biologie font place à la géométrie et aux mathématiques ; il épure ses anciennes toiles *Trois Bleus, trois rouges* (1913-1957). S'il travaille plus sobrement à la règle et au compas, il continue de peindre des espaces cosmiques. Il participe à la fondation du groupe «Abstraction-Création» en 1931, qui vise un art à l'image de la société technologique, dont le but est d'améliorer la vie par les acquis de la science.

> Kupka simplifie les formes : il trace un mouvement décomposé et apparente la couleur au son. Il représente sa vision de l'univers infiniment petit et infiniment grand.

Kandinsky et le spirituel dans l'art

Né à Moscou, Wassily Kandinsky (1866-1944) fait de la peinture son métier dès 1896 en Allemagne, puis s'établit définitivement en France à partir de 1933.

Il est le premier peintre et théoricien de l'art abstrait, qu'il qualifie d'art pur et de non figuratif.

L'abstraction intuitive

Kandinsky a trente ans lorsqu'il quitte la Russie pour Munich et abandonne l'enseignement du droit pour la peinture. D'une grande culture et d'une rare sensibilité, il a très tôt conscience des pouvoirs de la peinture qu'il compare à ceux de la musique : toutes deux peuvent contribuer à élever l'âme. La couleur, comme le son, véhicule l'émotion. Deux événements vont contribuer à lui révéler la nécessité impérieuse de l'abstraction. La découverte d'un tableau de Monet – *« Je me trouvais pour la première fois devant une peinture qui représentait une meule de foin (ainsi que l'indiquait son titre), mais que je ne reconnaissais pas. Je sentais que l'objet (le sujet) manquait dans cette œuvre. La peinture m'apparut comme douée d'une puissance fabuleuse. »* – et un de ses tableaux *« d'une extraordinaire beauté, brillant d'un rayon intérieur »* qu'il ne reconnaît pas pour l'avoir accroché à l'envers. Logiquement, le peintre conclut : *« Je sus alors expressément que les objets nuisaient à ma peinture. »* En 1910, il peint à l'aquarelle sa première œuvre abstraite (musée national d'Art moderne, Paris).

Der blaue Reiter (« Le Cavalier bleu »)

En 1911 à Munich, il fonde avec Franz Marc un groupe qu'il baptise *« Der blaue Reiter »*, (titre d'un tableau de 1903) symbolique de sa volonté d'évasion par le lyrisme de la couleur. Si l'aquarelle, technique spontanée, favorise l'expression colorée au détriment du sujet, ce n'est pas le cas de la peinture à l'huile. Avec trois séries d'œuvres, réalisées de 1908 à 1912, intitulées *Impressions* (nées du contact direct avec la nature), *Improvisations* (expressions inconscientes et spontanées), *Compositions* (issues d'un travail conscient et élaboré), il tente de se libérer du sujet. Kandinsky aboutit en 1912 à *L'Arc noir*, une explosion colorée abstraite, qui dissocie la couleur et la ligne et évoque les agglomérats instables de particules.

Improvisation XIV
(1910),
Wassily Kandinski.

Du spirituel

En 1911, Kandinsky publie *Du spirituel dans l'art*. Il y exprime sa croyance dans le bien-fondé philosophique d'une peinture abstraite, convaincu que l'œuvre d'art peut enrichir l'âme si on la débarrasse de ses formes matérielles. Attentif aux perceptions psychologiques de la couleur qu'il compare à des sonorités musicales, il est à la recherche de l'essentiel, d'une beauté intérieure qui n'a plus rien à voir avec les formes conventionnelles du Beau. Pour lui, «*La création d'une œuvre équivaut à la création d'un monde.*» Sa conception d'un art autonome, qui a son propre langage, est l'une des composantes majeures de la pensée contemporaine.

Le Bauhaus (1919-1933)

Appelé à enseigner la technique de la fresque au Bauhaus* de Weimar en 1921, Kandinsky va s'orienter vers une abstraction géométrique plus froide qu'il définit dans son traité *Point et ligne sur le plan* (1926). Ses intuitions idéalistes prennent alors une forme opérationnelle répondant à l'esprit du Bauhaus : intégrer l'art à la vie, le rendre fonctionnel, utile, grâce à un langage géométrique universel compréhensible par tous (*Jaune, rouge, bleu*, 1925).

Paris (1933-1944)

Les formes froides de la logique du Bauhaus cèdent la place à la poésie. Désormais, Kandinsky enrichit la peinture abstraite d'un monde mental imaginaire, peuplé de créatures surréalistes qui évoquent celles de son ami Miró. «*Les formes abstraites sont qui sait? des formes naturelles*», écrit le peintre; *Bleu de ciel* (1940).

L'abstraction de Kandinsky répond à une « nécessité intérieure » et représente un monde de « nécessités spirituelles » qu'il juge indispensables à l'homme du XXe siècle.

Malévitch, soif de pureté Tatline, soif de construire

En Russie, l'apparition de l'art abstrait est contemporain de la Première Guerre mondiale. De la révolution de 1917 à la mort de Lénine en 1924, cet art veut contribuer à changer le monde, il est au service des utopies.

Croix noire sur fond blanc (1915), Casimir Malévitch.

Malévitch et le suprématisme

Casimir Malévitch (1878-1935) présente ses premières œuvres abstraites qu'il nomme «suprématistes» en 1915. Le suprématisme n'est pas un style pictural mais une philosophie du monde et de l'existence. Le mot dérive de «suprême», le but est d'atteindre l'essence de l'objet, d'en donner une expression parfaite, simple et pure. Le *Carré noir sur fond blanc* (1913) témoigne de la volonté de l'artiste d'opter pour un motif élémentaire ; le blanc et le noir se situant aux deux extrémités de la gamme chromatique, son commencement et sa fin. Malévitch inaugure une ère nouvelle : celle de la primauté de l'idée en peinture qu'il débarrasse de toute représentation empruntée à la réalité. Il mène à son terme «la révolution de l'esprit» des futuristes, fait table rase de tout héritage, part du «zéro de la forme» (zéro étant le symbole de l'équivalence absolue) qu'il traduit par des figures géométriques. Le carré noir, emblème du monde nouveau à construire, est une invitation à pénétrer dans un espace neuf et parfait.

Soif de pureté

Le cercle représente le commencement et l'aboutissement d'une forme qui n'a ni commencement ni fin ; la croix est la division du carré en deux rectangles dont l'un pénètre dans l'autre. Le célèbre *Carré blanc sur fond blanc* de 1918 est l'ultime étape de son abstraction radicale. Seule une légère indi-

ART MODERNE | CUBISME | FUTURISME | ABSTRACT

cation de la touche du peintre distingue la forme sur le fond. Le blanc comme synthèse du spectre, dimension métaphysique et cosmique, symbolise l'infini, le concept pur et la création absolue. Après 1918, ses tableaux se réduisent à des figures géométriques colorées qui flottent sur un fond blanc.

Tatline et le constructivisme

Vladimir Tatline (1885-1953) présente ses premiers assemblages cubistes en 1915. Parmi eux, les «contre-reliefs», sans référence à une forme réelle, s'imposent comme les premières sculptures abstraites. On parle de constructivisme. À partir de simples matériaux bruts, non travaillés (bois, métal, verre), l'artiste construit une forme. Résolument matérialistes, ces œuvres incarnent l'avenir. Tatline, opposé à l'idéal cosmique de Malévitch, est rejoint par Alexandre Rodchenko (1891-1957) qui, avec ironie, expose *Noir sur noir* (1918). Le *Monument à la IIIᵉ Internationale* (1920), projet de Tatline jamais réalisé, est constitué de trois formes élémentaires: le cube, la pyramide, le cylindre, inscrits à l'intérieur d'une spirale. La maquette de cette tour gigantesque (qui devait atteindre 400 m de haut) résume le langage formel constructiviste: la diagonale (l'axe terrestre), la spirale (l'essor progressiste de l'humanité), la rotation (le mouvement planétaire). L'emploi de matériaux nouveaux comme le métal et le verre traduit la quête de transparence en accord avec l'idéal politique, celui d'une société sans classes.

Photo du *Monument à la IIIᵉ Internationale* (1920), Vladimir Tatline.

Soif de construire

Il faut coller à l'époque, à la révolution, participer à l'effort général. Il faut jouer un rôle dans la société et contribuer au progrès de tous. Ainsi naît le productivisme, soumission totale à l'idéologie de la production. Tatline déclare qu'il ne fera plus de «*contre-reliefs inutiles mais des casseroles utiles. (…) Les ouvriers et les paysans n'ont pas besoin de peinture à l'huile, mais de chaises et de tables.*» Rodchenko renchérit: «*l'art n'a pas pour mission de distraire de la vie, mais de l'organiser…*» Malévitch tombe en disgrâce.

À la recherche d'un langage universel, les deux pionniers de l'abstraction russe, Malévitch et Tatline, s'affrontent sur le rôle de l'art. Avec des formes géométriques, l'un fait rêver, l'autre construit.

Mondrian, soif d'équilibre

Né en 1872 en Hollande et mort en 1944 à New York, Mondrian réalise l'essentiel de son œuvre à Paris (1912-1914 et 1918-1938). Pour lui, l'art est un apostolat. Son but n'est pas de montrer, mais de convaincre.

La théosophie : un idéal

À 20 ans, son diplôme de professeur de dessin en poche, Piet Mondriaan renonce à l'enseignement, pense à devenir prédicateur, et choisit finalement le métier de peintre pour «*changer le monde*». D'un tempérament mystique, l'artiste s'intéresse très tôt à la théosophie, doctrine qui a pour but la connaissance de Dieu au sens de «lumière», «d'esprit», et prétend énoncer les lois secrètes de l'univers. Son triptyque *Évolution* (1911), représentant trois figures féminines de face dans un espace sans profondeur, symbolise l'itinéraire que l'âme doit suivre pour se libérer du monde matériel : «*le sommeil de la chair, le réveil de l'esprit, la vision intérieure*». À la recherche d'un symbolisme plastique, le peintre adopte spontanément des formes géométriques.

Composition II avec rouge, jaune et bleu (1939-1942), Piet Mondrian.

Du cubisme à l'abstraction

À Paris en 1912, Mondriaan a déjà acquis une longue expérience de la peinture. Il a assimilé le divisionnisme* et le fauvisme* dans des peintures de paysages, privilégiant des motifs verticaux (arbres, églises, tours, moulins) ou horizontaux (mer, dune, plage). Il choisit alors d'explorer le cubisme et, fait significatif, change l'orthographe de son nom en Mondrian. Le peintre a trouvé sa voie : la simplification des formes cubistes le conduit à l'abstraction géométrique, équivalent plastique de la pensée théosophique. La réalité abstraite lui apparaît plus forte que la réalité naturelle. En quête de clarté, de pureté, d'équilibre, il ne retient que la structure symbolique du motif et intitule ses tableaux «*Compositions*». Désormais, pour lui, le concret, c'est l'abstrait.

Une nouvelle image du monde

En 1914, de retour en Hollande, Mondrian développe l'abstraction jusqu'à son extrême limite. Il veut peindre la réalité pure car, dit-il, «*L'apparence des formes naturelles change, mais la réalité est immuable.*» Il supprime les courbes et opte pour une trame orthogonale, les verticales et les horizontales étant l'expression de deux forces contraires et leur action réciproque constituant la vie. Il aboutit à la composition en blanc et noir «+ *et* –» de 1917. À la recherche de la forme exacte, Mondrian théorise ses principes, publiés en 1920 sous le nom de «*Nieuwe beelding*», (nouvelle plastique) traduit par «néoplasticisme». Il érige sa peinture en système : la construction de la forme n'admet que les lignes horizontales et verticales (principes universels), bannit la touche, préconise l'aplat, condamne la symétrie, limite l'usage de la couleur aux trois couleurs* primaires, le rouge, le bleu, le jaune et aux non-couleurs, le blanc et le noir.

Le style « *De Stijl* »

En 1916, Théo Van Doesburg (1883-1931) fonde le groupe et la revue *De Stijl*, destinés à divulguer les principes de la nouvelle esthétique et à l'étendre à tous les domaines artistiques, en particulier à l'architecture (J.J.P Oud, Rietveld, Van der Rohe…). Le nouveau style est enseigné au Bauhaus* dès 1925. Il s'applique à l'ameublement (fauteuil de Rietveld), à la décoration, à la typographie (Van Doesburg), à la sculpture (Vantongerloo). L'influence de l'abstraction géométrique est telle, entre les deux guerres, qu'elle favorisera par réaction la naissance du surréalisme, antithèse exacte de cette peinture froide et austère.

Comme un missionnaire, Mondrian va mettre ses idées au service de sa foi : l'art, à la recherche d'un nouvel équilibre, doit agir sur l'environnement et le comportement humain.

Le dadaïsme et la mort de l'art

Entre le cubisme, brutalement interrompu par la guerre de 1914-1918, et l'apparition du surréalisme, en 1924, l'aventure dadaïste colle étroitement à la sensibilité du xxe siècle. Un siècle dominé par un besoin de révolte systématique contre les formes existantes, en politique, en littérature et dans les arts.

Un mouvement international

Le dadaïsme est un mouvement de liberté artistique, plastique et littéraire, créé par de jeunes artistes de toutes nationalités durant la Première Guerre mondiale. Né à Zurich, en pays neutre (*voir* p. 39), il va trouver des correspondances à New York, se diffuser en Allemagne, et prendre sa forme définitive après l'armistice de 1918. Il connaîtra son apogée à Paris, où il prend fin en 1923 pour laisser place au surréalisme.

Un art de crise

Dada est une immense révolte contre la guerre: la guerre détruit. Dada veut détruire l'ordre établi qui n'a pas su empêcher le massacre; la guerre a utilisé le progrès technique à des fins destructrices. Dada dénonce la machine, cette invention de l'homme qui s'est tournée contre lui. Anarchistes, les artistes vont refuser la société en bloc, ses règles et ses valeurs. Dada ne veut pas créer mais détruire: d'abord le langage, instrument de communication trompeur, puis l'art lui-même en rejetant l'idée du chef-d'œuvre*.

Un esprit négatif

Si «da, da» signifie «oui, oui» dans les langues slaves, le terme choisi par ces artistes pour se désigner ne veut rien dire: les dadaïstes ont en commun le goût de l'absurde, du non-sens, de la provocation et de l'humour. Dada veut démolir le monde bourgeois moraliste avec ses propres armes. Sur ses ruines, il pense pouvoir reconstruire un monde nouveau, né de la vie même, immédiate, spontanée et naturellement saine, à l'opposé du

ART MODERNE   CUBISME   FUTURISME   ABSTRACT

comportement humain jugé malfaisant. Avec violence, mais aussi dans le rire, les artistes vont briser les traditions d'une culture qu'ils jugent mensongère, en créant de nouvelles formes qui provoqueront toutes un scandale.

L'apport de Dada

Rebelle, contestataire, provocateur et destructeur, Dada, sous ses différents aspects, veut «tuer l'art». En s'emparant de tous les matériaux considérés comme étrangers à l'art, il va pourtant renouveler le langage pictural et donner naissance à de grandes œuvres. Si le mouvement dada est mort, il reste ses innovations techniques : l'objet collé dans le tableau ou l'objet lui-même, le photomontage*, l'affiche, le slogan publicitaire, les déchets de la vie quotidienne, la poésie phonétique, les jeux typographiques et l'art du spectacle.

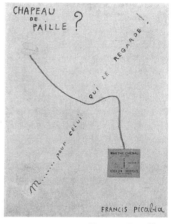

Chapeau de paille (1921),
Francis Picabia.

L'art et la vie

Le dadaïsme apparaît comme un épisode essentiel de la révolution artistique qui marque l'époque contemporaine. Car Dada, qui rejetait tout enseignement, a fait école. Parmi les artistes de la seconde moitié du XXᵉ siècle, on ne compte plus les héritiers de Marcel Duchamp, Francis Picabia, Man Ray, Raoul Hausmann, Kurt Schwitters, Hans Arp et Max Ernst…, tous dadaïstes. «*Dada est plus que Dada*», disait Raoul Hausmann. Il est un esprit, une attitude qui veut mêler l'art à la vie. «*Rentrer dans la vie*» est devenu le mot d'ordre de toute une génération d'artistes. Sous l'appellation de Nouveau Réalisme, Pop Art, Arte Povera, Happening, Situationnisme, Lettrisme, Fluxus… ces nouvelles formes d'art, inspirées du dadaïsme, revendiquent elles aussi une extrême liberté, l'indifférence au marché, l'enthousiasme collectif pour un art résolument tourné vers la vie : hors des classifications, des frontières, du goût et de la morale.

> Rebelles et destructeurs, les artistes dadaïstes introduisent dans l'art moderne le virus de l'anti-art.

Dada New York : l'insolence

L'esprit dada se manifeste à New York en 1915 lors de l'arrivée de deux peintres français : Marcel Duchamp (1887-1968) et Francis Picabia (1879-1953).

Les "ready-made"

Le Cadeau (1921), Man Ray.

Après le départ de Duchamp en 1921, le photographe américain Man Ray fera survivre l'humour destructeur de Dada, en créant des objets comme le fer à repasser garni de pointes.

Duchamp réalise des *"ready-made"*, des objets « tout prêts » qu'il présente comme des œuvres d'art : une *Roue de bicyclette sur un tabouret*, un *Porte-bouteilles* (1914), un urinoir baptisé *Fountain* (1917) qu'il signe Richard Mutt. Ces objets utilitaires promus au rang d'objets esthétiques remettent en question la notion même de l'art et le statut de l'artiste.

Ils dénoncent la logique d'un système culturel qui veut qu'un artiste, reconnu comme tel par les institutions, fasse nécessairement de l'art. En exposant ses *"ready-made"* au Salon des Indépendants de 1917, Duchamp indique que la signature de l'artiste suffit à faire de n'importe quoi une œuvre d'art. Avec insolence, il exécute en 1918 sa toute dernière toile dont le titre *Tu m'*est un adieu significatif à l'art. Avec *L.H.O.O.Q.* (1919), une version moustachue de la *Joconde* de Léonard de Vinci, (un *"ready-made"* retouché), il achève de donner le ton : l'art est mort, l'artiste seul est vivant.

L'univers industriel

La machine a pris la place de l'homme : le sujet de l'art n'est plus la figure humaine, mais l'objet mécanique. La machine, cette *Fille* (de l'homme) *née sans mère* (titre d'un tableau, 1916), est à l'origine d'une série peinte par Picabia, intitulée « *mécanomorphe* ». Il y intègre des éléments mécaniques disparates, montés dans un ordre quelconque. *L'Enfant carburateur* (1919) ou *Pompe à combustible* (1919) sont des machines qu'on ne peut pas faire fonctionner. Elles sont donc vouées à la stérilité. Ces innovations scandaleuses sont diffusées dans la revue new-yorkaise « *291* », puis par les artistes eux-mêmes lorsqu'ils réintègrent l'Europe.

ART MODERNE | CUBISME | FUTURISME | ABSTRACT

Dada Zurich : le scandale

À Zurich, de jeunes artistes et des poètes établissent leur quartier général au cabaret Voltaire où ils donnent des soirées animées qui se transforment bientôt en provocations systématiques.

Naissance du mouvement

En avril 1916, le poète roumain Tristan Tzara (1896-1963) fonde le mouvement baptisé Dada, un mot trouvé au hasard dans le dictionnaire. «*Dada ne signifie rien, dit-il. Je suis contre tous les systèmes, le plus acceptable des systèmes est de n'en avoir aucun.*» Autour de lui, les poètes Hugo Ball (Allemand), Richard Huelsenbeck (Suisse), les peintres

Trousse d'un Da (1921), Hans Arp.

Hans et Sophie Arp peignent, tissent, assemblent les matériaux les plus divers, comme des morceaux de bois battus par la tempête qui font allusion à la supériorité de la Nature sur le travail de l'homme.

Hans et Sophie Arp (Alsaciens) et Marcel Janco (Roumain). Les jeunes gens donnent des spectacles absurdes à la manière d'*Ubu roi* d'Alfred Jarry. Ils provoquent les vociférations des spectateurs outrés avec des poèmes fous, phonétiques et simultanés à plusieurs voix. Dans une complète incohérence de mots, chaque personnage dit ce qu'il veut sans souci de l'autre. Les soirées dada sont de véritables exhibitions auxquelles tout le monde participe. Selon Tzara, ces cacophonies ont pour but de produire une sorte de choc émotionnel.

Partir de zéro

Hans Arp découvre «les lois du hasard»: insatisfait d'un dessin, il en déchire la feuille dont les fragments se dispersent au sol. Séduit par leur disposition inattendue, il se met à «coller soigneusement les morceaux dans l'ordre dicté par le hasard.» Les idées de Dada Zurich, que Picabia rejoint en 1918, seront diffusées en Allemagne. Sur la couverture du manifeste dada de cette même année, on peut lire cette phrase empruntée à Descartes : «*Je ne veux même pas savoir qu'il y a eu des hommes avant moi.*» Autrement dit, je reconstruis tout en partant de zéro !

Farce, provocation, insolence et scandale, l'esprit dada naît simultanément à New York et à Zurich.

Dada Berlin politise

La défaite outre-Rhin provoque, en 1918, la chute de l'Empire allemand et la naissance de la République de Weimar. Pour l'Autrichien Raoul Hausmann (1886-1971), fondateur de Dada Berlin la même année, « *Weimar n'est que mensonge.* »

Les dadaïstes tiennent à inclure le monde de la mécanique dans leurs œuvres en tant que technique anonyme et en tant qu'imagerie.

Esthétique de la laideur et du choc

Pour les artistes, la peinture qui se pratique en temps de guerre (expressionniste, abstraite, cubiste ou futuriste) est incapable de dire les bouleversements réels de l'époque. Ils vont condamner violemment l'ère industrielle et l'ordre régnant. En choisissant de mettre en évidence les infirmités et les déformations produites par la société, Dada Berlin va prendre une connotation politique et développer une esthétique de la laideur et du choc. Otto Dix représente *Les invalides de guerre jouant aux cartes* (1920) et John Heartfield, dans *Double défilé de squelettes, plus général de l'armée allemande*, incorpore la légende : « Après dix ans, pères et fils » (1924).

Nouveaux matériaux

ABCD, portrait de l'artiste (1923), Raoul Hausmann.

Raoul Hausmann, dit le « *Dadasophe* », réunit du bois et des matériaux divers pour faire une tête d'homme avec des instruments mécaniques dans une intention polémique *(Tête mécanique* ou *L'Esprit de notre temps,* 1920). Avec John Heartfield, il invente la technique du photomontage* qui consiste à découper, assembler et coller des fragments de photographie et des éléments de typographie. Cette technique de la confusion met en relation des choses qui n'ont aucun lien entre elles. À partir de ce brassage du monde (grammatical, commercial, géographique, médical et politique), Hausmann, dans *ABCD, Portrait de l'artiste* (1923), nous crie que le langage comme la société sont à réinventer, à reprendre à l'origine comme l'alphabet à son début.

ART MODERNE | CUBISME | FUTURISME | ABSTRACTI

Dada Hanovre positive

Si Dada veut la ruine, à Hanovre, le peintre Schwitters n'aura de cesse de recoller les débris du monde.

L'art de la poubelle

Le mouvement de Hanovre se limite à la seule activité de Kurt Schwitters (1887-1948), lorsqu'il abandonne la peinture figurative pour assembler au hasard de vulgaires détritus de la vie urbaine : prospectus, tickets de tramway, morceaux de bois, de fer, de grillages, lambeaux d'affiches, couvercles de boîtes de conserve, ficelles, carton ondulé, vieux boutons... Ce poète, typographe, publiciste est aussi peintre :
« *Je suis peintre, dit-il, je cloue mes tableaux. (...) Par peinture, j'entends la création d'une œuvre d'art construite à l'aide de couleurs, de surfaces, de lignes et d'une surface délimitée.* » Si ces collages donnent l'impression de spontanéité et de hasard, ils n'en sont pas moins savamment construits en fonction des formes et des couleurs des matériaux de rebut employés.

Merz répare les épaves

Ami de Hausmann, de Tzara et de Hans Arp (*voir* pp. 39-40), mais écarté de Dada Zurich qui le juge trop bourgeois, Schwitters va développer seul une esthétique nouvelle. Il l'appelle MERZ, une syllabe échappée du nom de la *Kommerz und Privatbank*. En 1923, il décide d'étendre la technique du collage-recyclage d'épaves à son atelier entier et réalise une sorte de sculpture en forme de colonne qui envahit tout l'espace. Ne pouvant plus arrêter la progression de cette forme, Schwitters traverse le plafond. La sculpture devient architecture, mêlant à des éléments de plâtre toutes sortes d'objets familiers. Cette construction Merz qu'il appelle « *Merzbau* » est une invitation à pénétrer dans l'espace même de l'œuvre que l'on cesse de regarder à distance comme une sculpture.

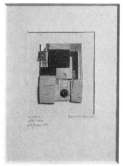

***Merz* (1926), Kurt Schwitters.**

Le succès du mot tient à ses qualités littérales. Nom, adjectif ou verbe, sans genre ni nombre, Merz rime avec *Herz* (cœur) et *Schmerz* (douleur) et retourne en positif le verbe guerrier *ausmerzen* (supprimer).

L'expansion du dadaïsme en Allemagne prend une connotation politique à Berlin et l'aspect d'un sauvetage du monde à Hanovre.

Dada Cologne poétise

À Cologne, Dada naît de l'amitié entre Hans Arp et Max Ernst (1891-1976). Leur activité d'abord politique devient purement artistique.

Créer en temps de guerre

Tandis que grondait la Première Guerre mondiale, « *nous collions, nous récitions, nous versifions, nous chantions de toute notre âme*», écrit Arp. Quant à Max Ernst, il se déclare mort en 1914 et inscrit dans son journal : «*Jeune homme, il naquit à une renaissance le 11 novembre 1918. Il voulut devenir magicien et trouver le mythe de son temps.*» Ensemble, les deux artistes réalisent des collages astucieux à partir de catalogues d'achat par correspondance qu'ils appellent des *Fatagaga* (Fabrication de tableaux garantis gazométriques). Ils fondent avec Johannes Baargeld un groupe baptisé la «*Centrale W/3 pour les trois idiots*».

L'art du bricolage

L'œuvre de Max Ernst est un mélange de provocation et de poésie. Il va concevoir «au-delà de la peinture» un univers personnel qui annonce déjà le surréalisme. Isolant les formes peintes ou découpées de leur contexte, il les juxtapose à d'autres et joue des rencontres inattendues, dénonçant ainsi le flot d'informations éparses des médias et de la publicité qui nous submerge, l'esclavage de l'érotisme (*La grande roue orthochromatique qui fait l'amour sur mesure*, 1919), et l'artifice (*C'est le chapeau qui fait l'homme*, 1921).

La grande roue orthochromatique qui fait l'amour sur mesure (1919), Max Ernst.

Transformer la vie

Hans Arp s'attaque à la folie humaine en parodiant les humains qu'il place dans des situations absurdes. Avec ses reliefs en bois il invente des formes abstraites spontanées (*Danseuse*, 1925). L'artiste pense que l'art peut exprimer et transformer la vie à travers le langage des formes qui deviennent des métaphores de la pureté, de la morale et de la simplicité… «*Nous cherchions un art élémentaire qui devait, pensions-nous, sauver les hommes de la folie furieuse de ces temps. Nous aspirions à un ordre nouveau qui pût rétablir l'équilibre entre le ciel et l'enfer.*»

ART MODERNE   CUBISME   FUTURISME   ABSTRACT

Dada Paris, l'art et la vie

L'esprit polémiste et débridé de Dada Paris développe l'idée d'un « art total » qui intègre la littérature, le théâtre, la musique et les arts plastiques.

Un art total

Plus intellectuel que politique, le mouvement parisien va naître de l'arrivée d'anciens membres des mouvements américain (Picabia), zurichois (Tzara) et allemand (Ernst) et de leur rencontre avec les écrivains français André Breton*, Louis Aragon*, Philippe Soupault. Chaque individu doit réaliser sa créativité selon les lois de la spontanéité, de la déraison, de l'inconscient et du hasard.

À Paris, en 1921, l'Américain Man Ray réalise ses premiers « rayogrammes ». Cette technique, connue sous le nom de photogramme, consiste à faire des photos sans l'aide d'objectif ni de négatif, en posant des objets sur un papier photographique qu'on expose à la lumière.

L'œil cacodylate (1921), **Francis Picabia.**

Il réunit les signatures des principaux dada de Paris, des phrases absurdes, des mots en liberté, des fragments de photographies collés sur un fond peint à l'huile.

Provocation

Il s'agit « *non pas tant de détruire l'art et la littérature que l'idée qu'on s'en était faite* », indique alors Tzara. L'œuvre achève de remettre en question le sérieux de l'artiste, l'originalité et la valeur de l'art dont elle se moque avec désinvolture et humour. Invité au Salon Dada à Paris en 1920, Duchamp répond par un télégramme : « *Pode bal* ».

C'est dans la joie et le rire que Dada fait descendre l'artiste de son piédestal, revendique un art à l'image de la vie.

Place au surréalisme

Dans les années 20, Dada se désagrège sous la poussée du surréalisme. Il va se scinder en deux tendances : l'une dominée par Tzara, qui appelle à l'incendie général, l'autre impulsée par André Breton, qui veut instaurer le règne de l'esprit nouveau en explorant le domaine du rêve avec méthode.

À Cologne et à Paris, Dada, plus optimiste, veut transformer la vie. Il va donner naissance au surréalisme.

Le surréalisme : un réel imaginaire

Le surréalisme postule un retour à « la vraie vie » par une fuite hors du réel.

Seule l'imagination dans une totale liberté de l'esprit peut permettre de résister à la tyrannie des contraintes extérieures.

Une autre vision du monde

Sous la houlette d'André Breton*, le groupe surréaliste «s'officialise» avec un premier manifeste publié en 1924 qui définit ses orientations esthétiques, morales et politiques. Le mot lui-même est une invention d'Apollinaire (1917). Repris par Breton, il désigne un état d'esprit, une attitude qui privilégie le repli sur soi-même pour matérialiser la pensée pure spontanée : «*en l'absence de tout contrôle exercé par la raison, en dehors de toute préoccupation esthétique ou morale.*» Son but n'est pas de produire de l'art ou de l'anti-art, mais de concevoir une autre vision du monde. Pour cela, un seul moyen : l'«*Automatisme psychique pur par lequel on se propose d'exprimer soit par écrit, soit de toute autre manière, le fonctionnement réel de la pensée.*» (André Breton).

Une profession de foi

Seules les œuvres littéraires et artistiques qui répondent à ce critère peuvent être qualifiées de surréalistes. Leurs auteurs sont alors admis dans le groupe, mais peuvent en être exclus pour des raisons de conduite ou d'éthique. Le surréalisme n'est pas une école, (divers styles peuvent s'y exprimer), mais une profession de foi codifiée de façon stricte par Breton. En 1925, le groupe réunit les poètes Louis Aragon*, Paul Éluard, Philippe Soupault, Benjamin Péret, et les artistes Marcel Duchamp, Man Ray, Ernst, Arp, Klee, Picasso, Chirico, Masson et Miró. Puis viendront Magritte (issu du mouvement belge), Dalí, Tanguy, Giacometti et beaucoup d'autres. Le surréalisme connaît sa période la plus créative entre les deux guerres mondiales et diffuse ses idées dans de nombreuses revues. La dernière, *Le Minotaure*, cesse de paraître en 1939. L'adhésion

« Transformer le monde, dit Marx, changer la vie, dit Rimbaud. Ces deux mots d'ordre pour nous ne font qu'un », affirme André Breton, le père du surréalisme.

de certains de ses membres au parti communiste crée les premières dissensions au sein du groupe qui se disperse en 1940. Historiquement, le surréalisme prend définitivement fin à la mort d'André Breton en 1966.

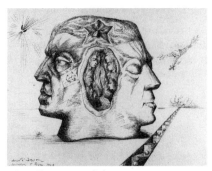

Portrait d'André Breton (1941), André Masson.

Héritier de Dada

Comme les dadaïstes, les surréalistes réagissent avec indignation aux horreurs de la Première Guerre mondiale. Ils refusent l'ordre établi et veulent en finir avec un monde qu'ils jugent insupportable. « *Tout est à faire, tous les moyens doivent être bons pour ruiner les idées de famille, de patrie, de religion*», écrit Breton. Mais à l'inverse de Tzara (*voir* p. 39), après la révolte et la négation de tout ordre, Breton préconise de résister, d'échapper à l'horreur par la poésie et l'humour. Si la création est soumise aux lois du hasard, si elle revendique une totale liberté, ce n'est pas pour tuer l'art, mais par souci de vérité. La révolution surréaliste est en quête de «merveilleux», d'authenticité. Elle accorde une place importante à l'amour, à l'érotisme, à la beauté. Ce que le surréalisme condamne, c'est la beauté factice. Ce qu'il recherche, c'est «*la beauté convulsive*» dit Breton, celle qui bouleverse.

L'inquiétante étrangeté

Pour les surréalistes, l'insolite et le bizarre sont générateurs de beauté. Ils feront appel à Sade, à Lautréamont*, aux romans noirs, à l'univers psychiatrique, aux expériences spirites. Dès 1921, Breton rencontre Freud à Vienne dont les travaux ont mis à jour l'importance du rêve, de l'inconscient et des pulsions sexuelles. La psychanalyse naissante rejoint la pensée surréaliste. Celle-ci lutte contre la toute puissance de la raison en privilégiant l'automatisme de la pensée et les récits du rêve. Il s'agira donc de faire surgir des profondeurs «la parole intérieure» qui est une autre réalité, une «surréalité» plus vraie.

En quête d'une autre vision du monde, le surréalisme est une profession de foi qui retient de Dada le refus de tout ordre, pour mieux explorer les contrées étranges de l'inconscient.

La peinture du rêve

Le rêve détient la « toute puissance » de produire des jeux d'associations d'images relevant, selon Breton, d'une « réalité supérieure » à ceux de la conscience. À la suite de Chirico, Magritte, Ernst et Dalí vont figurer « l'incohérence » du rêve.

Giorgio de Chirico (1888-1978)

La peinture « métaphysique » de Chirico va enthousiasmer les surréalistes. Dans une technique toute classique (dessin minutieux, perspective traditionnelle), Chirico intègre des mannequins ou des figures antiques, empruntées à la statuaire, dans des décors d'architecture déserte. Dans le tableau *Le Cerveau de l'enfant* (1914), André Breton trouve l'un des fondements de la surréalité : les yeux clos, l'homme ne dort pas ; il concentre son énergie pour faire advenir la lumière intérieure. Le *Portrait de Guillaume Apollinaire* (1914) s'avère prémonitoire : en 1918, Apollinaire meurt de la grippe espagnole après avoir été grièvement blessé d'un éclat d'obus reçu à la tempe. Les violents contrastes d'ombre et de lumière, la présence incongrue d'un coquillage et d'un poisson et l'effet de perspective accentuent le caractère mystérieux de l'œuvre qui servira de modèle aux surréalistes.

René Magritte (1898-1967)

Magritte se réfère au monde du rêve et joue de l'illusion d'une facture en trompe-l'œil* pour représenter des objets du quotidien qui deviennent suspects. Les titres, sans lien avec le sujet, renforcent le caractère énigmatique des tableaux. Les images sont comme les mots en poésie : fenêtres ouvertes sur des ciels, rochers suspendus au-dessus de la mer, chapeaux melons ou parapluies… constituent un vocabulaire poétique. Tableaux charades ou rébus, la peinture de Magritte dépayse. Elle nous invite à décrypter le sens des choses au-delà des apparences, à repenser la connaissance que nous en avons. Le tableau *La Trahison des images. Ceci n'est pas une pipe* (1929) est explicite : les choses ne sont pas comme on les voit et la peinture est un combat continuel contre les idées reçues (*La Tentative de l'impossible*, 1928).

ART MODERNE | CUBISME | FUTURISME | ABSTRACTI

Max Ernst (1891-1976)

Pour cette figure de proue du surréalisme, « *La plus noble conquête du collage, c'est l'irrationnel.* » Ernst renouvelle le procédé du collage avec une suite de « romans-collages » fantastiques qui rappellent le collage verbal de Lautréamont* : « *beau comme la rencontre fortuite sur une table de dissection d'un parapluie et d'une machine à coudre.* » (phrase fétiche des surréalistes). En peinture, ses thèmes favoris sont les oiseaux (l'oiseau nommé Loplop), les forêts, les villes, les êtres fantastiques. À la recherche de formes insolites, Ernst crée, en 1925, la technique du frottage dans une série intitulée *Histoire naturelle*. L'art est soumis au hasard de la trouvaille. Le peintre joue sur le matériau pour obtenir des images imprévisibles.

Hallucination partielle, six images de Lénine sur un piano (1931), Salvador Dalí.

Salvador Dalí (1904-1989)

Pour Dalí, la beauté doit être « comestible », c'est-à-dire répondre aux désirs vitaux les plus immédiats. Passionné par la lecture de Freud, Dalí qualifie de « *paranoïa critique* » sa méthode d'investigation : il « *systématise la confusion afin de contribuer au discrédit total du monde de la réalité.* » Dans *Hallucination partielle, six images de Lénine sur un piano* (1931), il reprend à Freud ses idées sur la conception du rêve, qui fonctionnerait à la fois en « condensant » sur un même objet plusieurs significations (les notes de musique sont des fourmis), et en « déplaçant » le sens d'un objet représenté dans des espaces différents (les cerises sur la chaise, sur le brassard et auréolant les têtes de Lénine). Exclu du surréalisme en 1938 par Breton, ce dernier fera de son nom le célèbre anagramme : « Avida Dollars ».

Par le jeu d'association d'images incongrues en trompe-l'œil, Chirico, Magritte, Ernst et Dalí mêlent le normal et l'étrange. Ils perturbent la logique.

L'automatisme : de nouveaux signes imaginaires

Les surréalistes expérimentent toutes les méthodes qui travaillent le langage en profondeur. La dictée de l'inconscient, révélée par l'écriture automatique, devient une pratique journalière pour les écrivains et un procédé technique pour les artistes en quête de nouveaux signes imaginaires.

André Breton (1896-1966)

Avec lucidité, Breton prend conscience de la faiblesse de certaines peintures d'images de rêve. Leur fixation en trompe-l'œil* risque de tourner vite au procédé illustratif provoquant, ce que Picasso résume de la façon suivante: «*se borner à faire apparaître sur la toile une colombe dans le derrière du chef de gare!*» Du côté de l'automatisme pictural, l'authenticité surréaliste semble mieux préservée puisqu'il n'y a aucune concession au réalisme. Avec Philippe Soupault, Breton expérimente l'écriture automatique, cette «pensée parlée» immédiate, spontanée. *Les Champs magnétiques* (1921) sont le premier texte d'écriture automatique. Il consiste à «*noircir du papier avec un louable mépris de ce qui pourrait s'ensuivre littéralement*».

André Masson (1896-1987)

Dans ce même esprit, Masson réalise, en 1925, une série de dessins automatiques, pendant graphique de l'écriture des *Champs magnétiques*, où la rapidité du geste veut défier celle de la pensée. L'année suivante, il prolonge son travail sur le geste par des tableaux de sable. Le support au sol est recouvert de giclées de colle, distribuées au hasard, et sur lesquelles le peintre projette du sable de différentes couleurs. Il parcourt cette surface avec des traits spontanés, puis redresse le tableau, qui laissant échapper du sable continue de s'improviser, s'achève de lui-même. Masson dit alors être sur la voie de ce qu'il «*souhaite depuis longtemps, arriver à faire des tableaux qui soient une victoire remportée sur la pesanteur, de vrais paysages d'enfance.*»

ART MODERNE   CUBISME   FUTURISME   ABSTRACTI•

Joan Miró (1893-1983)

Ami d'André Masson, Miró, peintre espagnol, explore la liberté du graphisme automatique de sa ligne souple et onduleuse. D'emblée, l'expérience le conduit à schématiser les formes, à inventer une multitude de signes élémentaires : « *Le tableau doit être fécond,* écrit Miró, *il doit faire naître un monde. Qu'on y voie des fleurs, des personnages, des chevaux, peu importe, pourvu qu'il révèle un monde, quelque chose de vivant.* » Et les figures s'animent, grouillent dans le *Carnaval d'Arlequin* (1924), évoquent en peinture le monde suspendu des mobiles du sculpteur américain Calder. Pour mieux créer ses fictions, le peintre dit « *vouloir assassiner la peinture* », c'est-à-dire le métier, la virtuosité qui empêche les accidents, l'improvisation. Tableaux-poèmes, les peintures de Miró empruntent leurs sujets à l'expérience quotidienne vécue. *La Sieste* (1925), débarrassée de tout élément anecdotique inutile, se réduit sur un fond de ciel bleu à un signe de femme allongée, la crête d'une colline, le nombre 12 qui indique midi et un soleil noir qui fait plisser les yeux. Miró « *peut passer pour le plus surréaliste d'entre nous* », dira Breton.

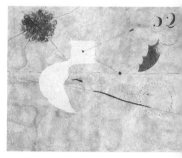

La sieste (1925),
Joan Miró

Yves Tanguy (1900-1955)

Comme Miró, Tanguy va fixer l'inconscient en termes de peinture et non pas en images en créant une véritable iconographie surréaliste. Il ne cherche pas les origines d'un monde psychique, il crée plutôt de nouvelles formes, de nouveaux signes imaginaires. Monde minéral, monde sous-marin ou restes d'une ville engloutie, les tableaux de Tanguy sont des espaces indéfinis, voilés, insondables, pénétrés d'une lumière laiteuse, irréelle, où déambulent d'étranges objets aux contours osseux. Ses paysages ne sont plus physiques mais des paysages du mental. « *Avec lui, nous entrons pour la première fois dans un monde de latence totale. En tout cas, rien des apparences actuelles* », écrit Breton.

Avec l'automatisme, Breton, Masson, Miró, Tanguy font « acte de surréalisme » car ils mettent en pratique la poésie.

L'objet surréaliste

Le pouvoir poétique des objets, ceux qui apparaissent en rêve et ceux que l'on peut dénicher au marché aux puces, devient très vite un nouveau champ d'exploration.

Marcel Duchamp (1887-1968)

Pour André Breton, Duchamp correspond à l'idéal qu'il se fait de l'artiste car sa première vertu philosophique est la liberté. L'œuvre intitulée *Stoppage étalon* (1913) pousse le rationnel jusqu'au moment où il rencontre son contraire : «*Si un fil droit, horizontal, d'un mètre de longueur tombe d'un mètre de hauteur sur un plan horizontal en se déformant à son gré, il donne une figure nouvelle de l'unité de longueur*», commente Duchamp. Avec cet humour qui le caractérise, l'artiste joue sur le sens qu'il pervertit par la logique des mots eux-mêmes. Sa rupture avec l'art (depuis les "*ready-made*", *voir* p. 38), sa philosophie de l'amour et du désir dans sa peinture sur verre, la *Mariée mise à nu par ses célibataires, même* (1915-1923), la *Boîte en valise* (1938), contenant ses principales œuvres en miniatures, tous sont des objets absurdes, dans lesquels Breton reconnaît l'authentique poésie de «l'humour noir».

Les poèmes-objets

«*Il est permis*, dit le Manifeste du surréalisme de 1924, *d'intituler poème ce que l'on obtient par l'assemblage, aussi gratuit que possible, de titres ou de fragments de titres découpés dans les journaux.*» Le cadavre exquis (1927) découle de cette théorie. Il s'agit d'un jeu de papier plié qui consiste à faire composer une phrase ou un dessin par plusieurs personnes, chacune d'elles ignorant ce que les autres ont écrit ou dessiné préalablement. L'exemple célèbre, qui a donné son nom au jeu favori des surréalistes, est la phrase «Le cadavre exquis boira le vin nouveau». Dans cet esprit, et toujours en quête de rencontres révélatrices, Breton, avec les *poèmes-objets* (1930-1934), associe l'écriture, la photographie, la gravure, la peinture à des objets en trois dimensions. Il veut faire basculer le rêveur dans le rêve, faire jaillir l'inattendu, le merveilleux. Ses poèmes-objets sont des énigmes visuelles à déchiffrer.

L'objet inventé

À la recherche de l'objet «inventé», les sculpteurs surréalistes vont transposer leur vision mentale, lui donner encore plus de présence et d'intensité symbolique:

La Table (1933) en plâtre, d'Albert Giacometti, réunit une figure de femme à demi voilée, le regard halluciné, une main coupée devant elle. *Le Loup-Table* (1939) de Victor Brauner est l'assemblage d'une tête et d'une queue de renard empaillés. *La Poupée* (1937) désarticulée de Hans Bellmer illustre la formule de Breton: «*Sade est surréaliste dans le sadisme*». *Le Buste de femme rétrospectif* (1933) en bronze et porcelaine de Dalí est une transposition de l'*Angélus* de Millet, un souvenir d'enfance «*parmi les plus délirants, autrement dit poétiques*», précise Dalí.

Ci-contre:
La Poupée (1937),
Hans Bellmer.

Bilan

Du cubisme, le surréalisme reprend l'attitude expérimentale exemplaire de Braque et de Picasso (Breton achète *Les Demoiselles d'Avignon*, 1907). De Dada, il conserve la liberté d'esprit, le sens de la provocation et de l'humour (Picabia et Duchamp font figure de modèles). De Kandinsky, il retient la quête de «la nécessité intérieure» et l'automatisme gestuel. À Chirico, il emprunte ses images de rêve. En projetant et en réalisant leurs fantasmes dans le monde des objets, les surréalistes matérialisent leurs rêves, intègrent l'imaginaire au réel, sèment le trouble, suggèrent une infinité de sens, et élargissent le champ de l'expression poétique. Ils ont mis «la peinture au défi» (titre d'un livre d'Aragon*), abolissant les cloisons entre les différents arts. Leur influence sera considérable après 1940, notamment aux États-Unis.

> Pour Breton, Duchamp est «*une véritable oasis pour ceux qui cherchent encore.*» À la question «*Objets inanimés, auriez-vous donc une âme?*», Breton aurait pu répondre par l'affirmative.

Dialogues d'artistes

« Il est inadmissible que le dessin, la peinture en soient encore aujourd'hui où en était l'écriture avant Gutenberg. »
Marcel Duchamp

« Toute œuvre d'art est l'enfant de son temps et, bien souvent, la mère de nos sentiments. Ainsi de chaque ère culturelle naît un art qui lui est propre et qui ne saurait être répété. Tenter de faire revivre des principes d'art anciens ne peut, tout au plus, conduire qu'à la production d'œuvres mort-nées. »
Kandinsky

« Les hommes n'ont pas encore observé que les trains, les automobiles et les aéroplanes ont bouleversé la conception contemplative du paysage… »
Boccioni

« Notre tête est ronde pour permettre à la pensée de changer de sens. »
Picabia

« Nous savons tous que l'art n'est pas la vérité. L'art est un mensonge qui nous permet d'approcher la vérité, du moins la vérité qui est discernable. »
Picasso

« L'art ne reproduit pas le visible, il rend visible. »
Paul Klee

« Le fait que le cubisme fut longtemps incompris, et qu'actuellement encore, des gens n'y comprennent rien, ne signifie pas sa non-valeur.
Le fait que je ne lis pas l'allemand, qu'un ouvrage allemand est pour moi du noir sur blanc ne veut pas dire que la langue allemande n'existe pas, et je ne songe pas à en blâmer l'auteur, mais moi-même. »
Picasso

« La liberté se prend mais ne se donne pas. La liberté pour le commun c'est le libre exercice des habitudes. Pour nous c'est franchir le permis. »
Braque

« L'art ne veut ni influencer ni agir, mais libérer, de la vie, de toutes les choses qui accablent l'homme, comme les luttes nationales, politiques ou économiques. L'art veut l'homme pur, dégagé de l'emprise de l'État, du parti et des soucis alimentaires. »
Schwitters

« Et que partout on trouve le soleil, un brin d'herbe, les spirales de la libellule. Le courage consiste à rester chez soi, près de la nature qui ne tient aucun compte de nos désastres. Chaque grain de poussière possède une âme merveilleuse. Mais pour la comprendre, il faut retrouver le sens religieux et magique des choses, celui des peuples primitifs… »
Joan Miró

« L'art est le seul langage qui parle à l'âme, et le seul qu'elle puisse entendre.

ART MODERNE   CUBISME   FUTURISME   ABSTRACTIO

Elle y trouve, sous l'unique forme qui soit assimilable par elle, le pain quotidien dont elle a besoin. »
Kandinsky

« L'artiste vraiment moderne ressent consciemment l'abstraction dans une émotion de beauté, il reconnaît consciemment que l'émotion du beau est cosmique, universelle. Cette reconnaissance consciente a pour corollaire la plastique abstraite, l'homme adhérent uniquement à ce qui est universel. »
Mondrian

« Les ondes radio sont-elles abstraites ou naturalistes? »
Lissitsky

« Abstrait ou naturaliste, ce n'est qu'une façon de parler, trop en vogue aujourd'hui. Le problème n'est pas là: un tableau "abstrait" ne sera peut-être pas du tout perçu comme "abstrait" dans cinquante ans. »
Marcel Duchamp

« La tâche n'est pas de rendre les objets, mais de faire un tableau (…) Toute forme réelle qui n'est pas créée par la force de la nécessité de la peinture est un acte de violence envers elle. »
Malévitch

« Je voulais peindre les choses comme on les pense, pas comme on les voit. »
Picasso

« L'œuvre d'art vraiment exacte est une métaphore de l'univers obtenue par des moyens artistiques. »
Van Doesburg

« L'infinité vanité de tout. Et le mystère existe sur tout, en tout.
Toujours l'homme a exprimé dans l'art sa conception du monde, plus directe que la philosophie. »
Giacometti

« La création d'une œuvre équivaut à la création d'un monde. »
Kandinsky

« Nous vivons une époque dangereuse et magnifique dans laquelle s'enlacent désespérément la fin d'un monde et la naissance d'un autre. Mais derrière cette figure anxieuse et tourmentée, quelques fleurs timidement sortent de cet amas complexe d'éléments décadents et de primitives réalisations.

Un "nouvel espace" semble apparaître dans lequel une jeunesse de vingt ans évolue en cherchant de nouveaux points d'appui. En reste-t-il? L'esprit critique et la poussée créatrice sont face à face, dans une bataille redoutable.
Il faut je crois fouiller le Moyen Âge pour retrouver des temps aussi dramatiques. »
Fernand Léger

L'art moderne et le cinéma

L'art moderne et le cinéma ont le même âge. Ils ont en commun d'être des arts visuels; ils s'adressent à l'œil du spectateur tout en imposant leur regard. Tous deux pensent en images, en plans, en séquences et construisent l'espace dans lequel ils font agir des formes.

Rencontre

Il était naturel qu'ils s'enrichissent mutuellement, établissent des correspondances, empruntent l'un à l'autre. Pourtant, leur but reste distinct. La peinture moderne libérée du sujet ne raconte plus rien, alors qu'il n'y a pas de cinéma sans histoire (à l'exception du cinéma expérimental qualifié de «pur», comme par exemple *Cinq minutes de cinéma* pur de Henri Chomette, 1925, ou *La Coquille et le clergyman* de Germaine Dulac, 1926).

Techniques

«Il y a du cinéma dans le cubisme», déclarent D. Païni et J. Morice à l'occasion de l'exposition «L'art et le 7e Art» en 1995, *«la démultiplication des plans et des points de vue dans les toiles de Picasso, de Braque ou de Léger, l'impression de tourner autour d'un objet et d'un corps (panoramique), la manière de décomposer l'action… Le traitement du volume et de la profondeur de champ chez Léger fait de lui, sans doute, le premier spécialiste du gros plan et du "zoom" dans la peinture moderne.»* Le «coupez-collez» du montage évoque l'esthétique dadaïste (collages, assemblages). Si *«Chirico compose des scènes contemplatives comparables aux plans-séquences d'un film»*, les tableaux de Magritte, juxtaposant plusieurs images, rappellent le principe qui régit le montage au cinéma.

Photos extraites du film *L'Homme à la caméra* (1929), Dziga Vertov.

L'image animée

Le cinéma enregistre le temps et le mouvement; la peinture et la sculpture vont s'employer à en restituer l'idée (Léger, Kupka, Duchamp, Delaunay). En 1916, les futuristes italiens (*voir* pp. 18-19) signent un *Manifeste de la cinématographie futuriste*. Dès 1919, Léger illustre le roman de Blaise Cendrars *La fin du monde filmée par l'Ange N.-D.*, un scénario qui ne fut jamais tourné, de 22 peintures et dessins, dont un chapitre intitulé «Cinéma accéléré et ralenti». Le poète russe Maïakovski s'exclame: *«Le rythme de la vie*

*a changé. Tout a acquis une rapidité fulgurante comme sur les bandes
du cinématographe. (…) La fièvre, voilà ce qui symbolise le mouvement de la vie contemporaine.»*

Monde réel

En Russie, le cinéma devient l'art constructiviste par excellence.
La caméra enregistre le monde sur le vif et dévoile le processus
filmique (*L'Homme à la caméra*, 1929, de Dziga Vertov).
Eisenstein, avec des films comme *La Grève* (1924) et *Le Cuirassé
Potemkine* (1925), reconstitue des événements historiques
récents, insiste sur le rôle du montage et invite à réfléchir au sens
de chaque image, à son impact sur le spectateur. Comme
Malévitch et Rodchenko, les deux cinéastes épousent l'idéologie
bolchevique: «*nous formons un homme nouveau*», écrit Vertov.
En France, Marcel L'Herbier confie à Fernand Léger les décors
de son film *L'Inhumaine* (1923), une ode à l'esprit moderne du
machinisme. En 1924, Léger réalise le premier film sans scénario, *Le Ballet mécanique* (1924), dans lequel il met l'accent sur la
cadence du mouvement ainsi que sur la succession rythmée des
images. Comme Louis Lumière, les artistes veulent saisir l'effer-
vescence de la vie urbaine. Tous se réfèrent à Charlot, ce pantin
désarticulé des *Temps modernes* (1935). Dans le film de Fritz
Lang *Metropolis* (1926), le robot hante une «mégapole» digne
des villes apocalyptiques des peintres futuristes.

Monde surréel

Dans des espaces clos, Méliès met en scène des aventures fantastiques et invente les premiers trucages (têtes coupées, danses de
squelettes, astres voraces), qui évoquent l'univers dadaïste et oni-
rique des surréalistes. Man Ray *(L'Étoile de mer – Les Mystères du
château de Dé*, 1928), et Picabia *(Entr'acte* de René Clair, 1924)
passent derrière la caméra. En 1944, Léger, Duchamp, Calder,
Ernst et Man Ray collaborent au film *Dreams that money can buy
(Rêves à vendre)*. Les surréalistes s'enthousiasment pour le cinéma
qui fait apparaître «les ombres des grandes réalités». En 1928, Luis
Buñuel et Salvador Dalí réalisent deux films: *Un chien Andalou* et
L'Âge d'or. À propos de *L'Âge d'or* vivement attaqué, les surréalistes
écrivent en 1931: «*En dépit de toutes les menaces d'étouffement, ce
film servira très utilement à crever des cieux toujours moins beaux que
ceux qu'il nous montre dans un miroir.*»

Art et cinéma
d'avant-garde se
rencontrent:
ils interprètent
le monde réel
ou surréel.

Table des illustrations

ART MODERNE | CUBISME | FUTURISME | ABSTRACTIO

p. 31 : Wassily Kandinski - *Improvisation XIV* - 1910 - Huile sur toile - Musée national d'Art moderne - Lauros - Giraudon, © ADAGP, Paris, 1996

p. 32 : Casimir Malévitch - *Croix noire sur fond blanc* - 1915 - Huile sur toile (80 x 80) - Musée national d'Art moderne - Centre G.-Pompidou - Paris, © SPADEM, 1996

p. 33 : Vladimir Tatline *Mouvement à la IIIᵉ Internationale* - 1920 - photo Courtesy Moderna Musee Stockholm - Edimédia, © SPADEM, Paris, 1996

p. 34 : Piet Mondrian - *Composition II avec rouge, jaune et bleu* - 1939-1942 - Huile sur toile (72 x 69) - Londres, Tate Gallery - Bridgeman - Giraudon, © SPADEM, Paris, 1996

p. 37 : Francis Picabia - *Chapeau de paille* - 1921 - Huile, ficelle et carton collé sur toile (93,5 x 73,5) - Musée national d'Art moderne - Centre G.-Pompidou - Paris, © SPADEM, ADAGP, 1996

p. 38 : Man Ray - *Le Cadeau* - 1921 - Fer à repasser et clous (18 x 24) - Giraudon - Musée national d'Art moderne - Centre G.-Pompidou - Paris

p. 39 : Hans Arp - *Trousse d'un Da* - Assemblage bois et matériaux divers - Musée national d'Art moderne - Centre G.-Pompidou - Paris, © ADAGP, 1996

p. 40 : Raoul Hausmann - *ABCD, portrait de l'artiste* - 1923 - Collage et encre de chine sur papier (40,4 x 28,2) - Musée national d'Art moderne - Centre G.-Pompidou - Paris,

© ADAGP, 1996

p. 41 : Kurt Schwitters - *Merz* - 1926 - Collage de papier, carton et contreplaqué gouachés sur carton (l/h : 12,5 x 9,3) - Musée national d'Art moderne - Centre G.-Pompidou - Paris, © ADAGP, 1996

p. 42 : Max Ernst - *La grande roue orthochromatique qui fait l'amour sur mesure* - 1919 - Huile sur toile - Musée national d'Art moderne - Centre G.-Pompidou - Paris, © SPADEM, ADAGP, 1996

p. 43 : Francis Picabia - *L'Œil cacodylate* - 1921 - Collage - Musée national d'Art moderne - Centre G.-Pompidou - Paris, © SPADEM, ADAGP, 1996

p. 45 : André Masson - *Portrait d'André Breton* - 1941 - Encre de chine sur papier (h/l : 47,5 x 62,5) - Musée national d'Art moderne - Centre G.-Pompidou - Paris, © ADAGP, 1996

p. 47 : Salvador Dalí - *Hallucination partielle, six images de Lénine sur un piano* - 1931 - Huile sur toile (114 x 146) - Giraudon - © DEMART PRO ARTE B.V. Genève / ADAGP, Paris, 1996

p. 49 : Joan Miró - *La Sieste* - 1925 - Musée national d'Art moderne - Centre G.-Pompidou - Paris, © ADAGP, 1996

p. 51 : Hans Bellmer - *La Poupée* - 1937 - sculpture Giraudon - © ADAGP, Paris, 1996

p. 54 : Dziga Vertov - *L'Homme à la caméra* - 1922 - New York, Museum of Modern Art - Cinémathèque de Toulouse

Bibliographie

Généralités
CLAY (Jean), *De l'impressionnisme à l'art moderne*, Hachette, 1975
Abondamment illustré, cet ouvrage de 317 pages traite de tous les courants de l'art moderne en peinture, non pas en les énumérant un par un de façon chronologique, mais à partir de thèmes : la couleur, la déformation, l'objet, la frontalité, le mouvement. Trois types de lecture sont proposés : des textes introductifs denses (contexte historique et théorie de l'art) ; des légendes détaillées de chaque œuvre reproduite, et pour le lecteur pressé, une phrase à chaque double page qui résume l'idée à retenir. Un livre qui s'adresse à tous et qui enseigne à savoir voir la peinture.

DOMINO (Christophe), *L'art moderne*, Scala, 1991
Une découverte de l'art moderne à travers douze œuvres clefs du musée national d'Art moderne (centre Georges-Pompidou) regroupés sous cinq rubriques : couleur, forme, matière, objet, image. Grande clarté de lecture, reproductions couleur.

Qu'est-ce que la sculpture moderne ?
Catalogue MNAM centre Georges-Pompidou, Paris 1986. Pour tout savoir sur la sculpture moderne du cubisme à l'Arte povera.

Ouvrages de référence sur les mouvements
APOLLINAIRE (Guillaume), *Chroniques d'art (1902-1908)*, Gallimard, Paris, réédition, 1960
ASSOULINE (Pierre), *L'homme de l'art D.-H. Kahnweiler 1874-1979*, coll. «Folio», Balland, 1989
DACHY (Marc), *Journal de Dada*, Skira, Genève, 1991
FRY (Roger), *Le Cubisme*, La connaissance, Bruxelles, 1966
GOLDING (John), *Le Cubisme*, Le livre de Poche, 1965
LEMAIRE (Gérard Georges), *Futurisme*, Éditions du Regard, 1995
LEMOINE (Serge), *Dada*, Hazan, 1986
MARCADE (Jean-Claude), *L'avant-garde russe*, Flammarion, Paris, 1995
NAKOV (Andrei), *l'Avant-garde russe*, Hazan, 1984
PASSERON (René), *Histoire de la peinture surréaliste*, Le Livre de Poche, 1968
RUBIN (William S.), *Braque et Picasso, l'invention du cubisme*, Flammarion, 1990
VALLIER (Dora), *L'Art abstrait*, coll. «Pluriel», Livre de Poche, 1980

Ouvrages sur les artistes illustrés de nombreuses œuvres en couleur
BUTOR (Michel), *Mondrian*, Tout l'œuvre peint, Les classiques du XXᵉ siècle, Flammarion, 1976
DAIX (Pierre), *Le cubisme de Picasso – catalogue raisonné de l'œuvre peint, des papiers collés et des assemblages 1907-*

1916, Ides et Calendes, Neuchâtel, 1979

DELEVOY (Robert), *Léger, Le goût de notre temps*, Skira, Genève, 1962

HOOG (Michel), *Cézanne puissant et solitaire*, coll. «Découvertes», Gallimard, n° 55, 1989

HOOG (Michel), *Robert Delaunay*, coll. «Les maîtres de la peinture moderne», Flammarion, 1976

LASSAIGNE (Jacques), *Miró*, coll. «Le goût de notre temps», Skira, Genève, 1963

LASSAIGNE (Jacques), *Kandinsky*, coll. «Le goût de notre temps», Skira, Genève, 1964

PRAT (Jean-Louis), *Georges Braque* catalogue de la Fondation Pierre Gianadda Martigny, Suisse, 1972

RISPAIL (Jean-Luc), *Les surréalistes*, coll. «Découvertes», Gallimard, n° 109, 1991

Ouvrages collectifs, catalogues MNAM Centre Georges-Pompidou, Paris
Arp, 1986
Ernst, 1991
Léger, 1981.
Schwitters, 1994
Larionov et Gontcharova, 1995
Hausmann, musée d'Art moderne de St-Étienne, 1994

Ouvrages de réflexion
MERLEAU-PONTY (Maurice), *L'œil et l'esprit*, coll. «folio/essais», Gallimard, 1964

KLEE (Paul), *Théorie de l'art moderne* coll. «Médiations», Denoël, 1985

À consulter
La collection «Parcours» des collections permanentes du musée national d'Art moderne, centre Georges-Pompidou, Paris. Brochures consacrées aux mouvements et aux artistes représentés dans le musée.

Les dossiers Textes et Documents pour la Classe (TDC) édités par le Centre national de documentation pédagogique (CNDP), Paris.

Le Petit Journal (adultes et jeunes) édité par le MNAM, centre G.-Pompidou, Paris, lors des expositions, notamment ceux consacrés à André Breton, *La beauté convulsive*, 1991 et à *Art et Publicité*, 1990.

Les livrets textes et diapositives de la collection «Actualité des Arts plastiques» édités par le CNDP Paris (*Duchamp* n° 71 034 – *Suprématisme et constructivisme* n° 71 047 – *Les métamorphoses de la sculpture contemporaine* n° 71 053 – *Art et publicité* n° 71 056 – *Le surréalisme dans l'art* n° 71 058 – *Le futurisme italien* n° 71 058 – *Le mouvement «de Stijl»* n° 71 060 – *Le Bauhaus* n° 71 065 – *Le mouvement Dada* n° 71 071 – *Cubisme et cubistes* n° 71 078 – *Fernand Léger* n° 71 065).

Glossaire

Apollinaire Guillaume, écrivain français (1880-1918)

Fervent admirateur de Seurat et de Cézanne, il s'est intéressé à l'art moderne sous toutes ses formes (fauvisme, cubisme, futurisme) qu'il a soutenu et défendu. Il écrit à André Breton : « *Je suis d'avis que l'art ne change point et que ce qui fait croire à des changements, ce sont les efforts que font les hommes pour maintenir l'art à la hauteur où il pourrait ne pas être.* »

Aragon Louis (1897-1982)

Parallèlement à son œuvre littéraire, il est critique d'art et fonde avec Breton le surréalisme (*La Peinture au défi*, 1930).

Académie

École privée ou nationale où l'on enseigne la pratique d'un art. L'académisme désigne le style traditionnel dispensé par l'académie au XIXe siècle. Face à l'art moderne, le mot a pris une connotation péjorative. Il est synonyme de métier, de carcan pédagogique et de tradition sclérosée.

Art moderne

Historiquement, il naît avec *Le Bain* dit *Le Déjeuner sur l'herbe* et *L'Olympia* d'Édouard Manet en 1863, année du Salon des Refusés créé par Napoléon III, à la suite du scandale provoqué par la nouvelle peinture.

Art optique ou op'art

Désigne un groupe d'artistes abstraits parisiens constitué dans les années 40 autour de Vasarely, qui, à la suite de Delaunay, va orienter ses recherches sur les phénomènes optiques.

Arts plastiques

Ils englobent le dessin, la peinture et l'architecture.

Avant-garde

Le terme désigne les activités artistiques modernes qui précèdent leur époque par leurs audaces.

Baudelaire Charles, poète, écrivain et critique d'art français (1821-1867)

Premier critique d'art moderne : il insistera sur « l'imagination souveraine » en prônant « le dessin abstracteur » et la « couleur épique ». En 1846, il définit « l'art pur » par la « magie suggestive ». Dans *Le Peintre de la vie moderne* il écrit à propos de l'artiste moderne : « *Il s'agit pour lui de dégager de la mode ce qu'elle peut contenir de poétique dans l'historique, de tirer l'éternel du transitoire.* »

Bauhaus

École d'architecture et des arts et métiers fondée en 1919 à Weimar par Walter Gropius, qui enseignait de façon théorique et pratique la synthèse des arts plastiques, de l'artisanat et de l'industrie. Le Bauhaus combat l'artiste solitaire et romantique, prône l'unité des arts au service de la société. L'école sera fermée définitivement par les nazis en 1933. La philosophie du Bauhaus renaîtra à Chicago en 1937 grâce à MoholOgy Nagy.

Breton André (1896-1966)
Promoteur et théoricien rigoureux du surréalisme, il a défini les rapports de ce mouvement et de la peinture (*Le Surréalisme et la peinture*, 1928) et indiqué ses affinités avec l'art de Jérôme Bosch, d'Arcimboldo, de Goya, de Gustave Moreau et du Douanier Rousseau… Il a pris une part active aux expositions surréalistes internationales : celles de 1933, 1936, 1938, 1942, 1947.

Camaïeu
Peinture d'une seule couleur mélangée à du blanc dont le modelé est rendu par le jeu des tons, allant du clair au foncé. Les camaïeux de Braque et de Picasso de la période analytique sont le plus souvent brun-jaune.

Clair-obscur
En peinture, c'est une technique qui consiste à traduire les passages de la lumière à l'ombre afin de donner l'illusion du relief sur une surface plane.

Chef-d'œuvre
Traditionnellement, un chef-d'œuvre invite à la contemplation, à la délectation. Il réjouit l'œil et l'esprit. Il suscite l'étonnement, l'émotion, le plaisir, au même titre que certaines créations de la nature. On parle de chef-d'œuvre à propos des meilleures œuvres d'un artiste, celles qui sont jugées par les institutions comme les plus accomplies. Si la notion de « beauté » varie selon les époques, l'art occidental, quelles que soient les formes qu'il prend, tend vers le sentiment du beau depuis la Renaissance et jusqu'au début du XXe siècle.

Chevreul Michel Eugène (1786-1889)
Chimiste français, qui a publié en 1839 *De la loi du contraste simultané des couleurs*, où il observe que deux couleurs juxtaposées (et non pas mélangées) s'intensifient l'une l'autre et donnent une sensation de vibration.

Classique
Adopté par Chirico, Magritte, Dalí et parfois Ernst, le style classique insiste sur le dessin précis, la composition équilibrée et une facture lisse et léchée.

Composition
Organisation, répartition des formes et des couleurs sur la surface du tableau.

Couleurs
Les trois primaires, le bleu, le rouge, le jaune, sont à la base de toutes les autres, obtenues par mélange. Elles sont pures quand elles ne sont pas mélangées, rabattues quand on y rajoute du noir.

Divisionnisme
Théorie mise au point par Seurat et Signac d'après les travaux scientifiques de Chevreul, qui prônait la reconstitu-

Glossaire (suite)

tion de la lumière par la loi du contraste simultané des couleurs et du mélange optique.

Fauvisme
Le fauvisme (1905-1907) réunit autour de Matisse les peintres André Derain, Maurice de Vlaminck, Marquet, Dufy, Van Dongen et Georges Braque.

Lautréamont (Isidore Ducasse, dit le comte de, 1846-1870)
Auteur des *Chants de Maldoror* (1869), considéré par les surréalistes comme l'un des précurseurs de leur mouvement.

Monochrome
Peinture exécutée en une seule couleur.

Métaphysique (peinture)
Courant d'art italien (1916-1920) issu de Giorgio de Chirico, privilégiant une peinture figurative de la métaphore et du rêve dans une facture classique.

Photomontage
Le photomontage consiste à détourner de leur contexte original des images ou des textes fragmentés, découpés dans des journaux, affiches, dictionnaires ou catalogues publicitaires, et à les assembler de façon à produire un choc, une perception immédiate du message. Picasso et Braque furent les premiers à utiliser cette technique mais à des fins purement esthétiques, contrairement aux dadaïstes.

Pointillisme
Procédé technique inventé par Seurat (repris par les Fauves, les cubistes et les futuristes), utilisant la juxtaposition de petits points de couleur pure pour obtenir une meilleure division des tons et faciliter le mélange optique.

Trompe-l'œil
Art de représenter des objets de manière à ce qu'ils paraissent exister réellement, soit en les imitant ou en collant directement leur image photographique découpée dans des magazines (cubisme, dada), soit en les reproduisant en peinture le plus fidèlement possible pour donner le maximum de crédibilité à une production imaginaire (images de rêve des surréalistes). Le trompe-l'œil dénonce l'ambiguïté de la peinture entre le réel et l'irréel.

Index

Le numéro de renvoi correspond à la double page, sauf lorsqu'on a deux titres par double page.

Responsable éditorial
Bernard Garaude
Directeur de collection – Édition
Dominique Auzel
Secrétariat d'édition
Véronique Sucère
Correction – Révision
Jacques Devert
Iconographie
Sandrine Batlle
Conception graphique
Bruno Douin
Maquette
octavo
Fabrication
Isabelle Gaudon
Hélène Zanolla

Crédit photos
Voir table des illustration pp. 56-57

Les erreurs ou omissions involontaires qui auraient pu subsister dans cet ouvrage malgré les soins et les contrôles de l'équipe de rédaction ne sauraient engager la responsabilité de l'éditeur.

© 1995 Éditions MILAN
300, rue Léon-Joulin,
31101 Toulouse Cedex 1 France

ISBN : 2.84113.272.2
D.L. 1er trimestre 2004
Aubin Imprimeur, 86240 Ligugé
Imprimé en France